LIEDER REIME FINGERSPIELE

Mit Bildern von
Marlis Scharff-Kniemeyer

Ravensburger Buchverlag

Inhalt

Ringel, Ringel, Reihe

Beliebte Lieder, Reime und
Fingerspiele

Die Affen rasen durch
den Wald

Lustiges aus dem Reich
der Tiere

Ich bin das ganze Jahr vergnügt
Lieder und Reime für
jede Jahreszeit

Der Tag war schön
Gute Nacht-Lieder und -Verse

Ringel, Ringel, Reihe

Beliebte Lieder,
Reime und Fingerspiele

Jetzt wolln wir, hoppsassassa

Jetzt wolln wir, jetzt wolln wir, hopp - sas - sas - sa,

lus - tig sein, fröh - lich sein, tra - la - la - la.

Text und Melodie: Volkslied

1. Jetzt wolln wir, jetzt wolln wir, hoppsassassa,
   lustig sein, fröhlich sein, tralalala.

2. Erst dreht sich's Weibchen, dann dreht sich der Mann,
   sie fassen sich zärtlich und tanzen zusamm'.

Machet auf das Tor!

Ma-chet auf das Tor! Ma-chet auf das Tor! Es kommt ein gold-ner Wa - gen.

Text und Melodie: Volkslied

1. Machet auf das Tor! Es kommt ein goldner Wagen.

2. Wer sitzt darin? Ein Mann mit goldnen Haaren.

3. Was will er denn? Er will die Tochter haben.

4. Was bringt er denn? Er bringt viel schöne Gaben.

Ringel, Ringel, Reihe

Rin - gel, Rin - gel, Rei - he, sind der Kin - der drei - e,

sit - zen un - term Hol - der - busch, schrei - en al - le: husch, husch, husch!

Text: aus „Des Knaben Wunderhorn" (1806)
Melodie: Volkslied aus Thüringen

Ringel, Ringel, Reihe,
sind der Kinder dreie,
sitzen unterm Holderbusch,
schreien alle: husch, husch, husch!

Es tanzt ein Bi-Ba-Butzemann

Es tanzt ein Bi-Ba-But-ze-mann in un-serm Haus he - rum, wi-di-bum, rum.

Er rüt-telt sich, er schüt-telt sich, er wirft sein Säck-lein hin-ter sich.

Es tanzt ein Bi-Ba-But-ze-mann in un-serm Haus he - rum.

Text: aus „Des Knaben Wunderhorn" (1806)
Melodie: Volkslied aus Thüringen

1. Es tanzt ein Bi-Ba-Butzemann
   in unserm Haus herum, widibum.
   Er rüttelt sich, er schüttelt sich,
   er wirft sein Säcklein hinter sich.
   Es tanzt ein Bi-Ba-Butzemann
   in unserm Haus herum.

Schnick und Schnack

Zwei Hampelmänner aus dem Sack!
Der eine heißt Schnick, der andere Schnack.
Schnick hat ein Krönchen und Schnack einen Kranz,
so gehen sie beide zum lustigen Tanz.
Sie tanzen so manierlich
mit Schritten fein und zierlich.
Zuletzt gehen Schnick und Schnack
zurück in ihren Sack.

*Die Daumen stecken in den Fäusten, werden bei
„aus dem Sack" schnell in die Höhe gestreckt.
Wenn die „Hampelmänner" tanzen, kreisen die
Fäuste umeinander. Das Spiel kann beliebig oft
wiederholt werden.*

Zehn kleine Zappelmänner

Zehn kleine Zappelmänner
zappeln hin und her.
Zehn kleinen Zappelmännern
fällt das gar nicht schwer.
Zehn kleine Zappelmänner
zappeln auf und nieder.
Zehn kleine Zappelmänner
tun das immer wieder.
Zehn kleine Zappelmänner
zappeln rund herum.
Zehn kleine Zappelmänner
finden das nicht dumm.
Zehn kleine Zappelmänner
spielen mal Versteck,
zehn kleine Zappelmänner
sind auf einmal weg!

*Die „Zappelmänner" sind die Finger, die unablässig
zappeln. Die Hände bewegen sich dabei hin und her,
auf und nieder und im Kreis. Zuletzt verschwinden
sie ganz schnell hinter dem Rücken.*

Auf unsrer Wiese gehet was

Auf uns-rer Wie - se ge - het was, wa - tet durch die Sümp - fe.
Es hat ein schwarz - weiß Röck-lein an und trägt ro - te Strümp - fe.

Fängt die Frö - sche schnapp, schnapp, schnapp.

Klap - pert lus - tig klap-per - di - klapp. Wer kann das er - ra - ten?

Text: Heinrich Hoffmann v. Fallersleben (1798–1874), Richard Löwenstein
Melodie: Volkslied

1. Auf unsrer Wiese gehet was,
   watet durch die Sümpfe.
   Es hat ein schwarzweiß Röcklein an
   und trägt rote Strümpfe.
   Fängt die Frösche, schnapp, schnapp, schnapp.
   Klappert lustig, klapperdiklapp.
   Wer kann das erraten?

2. Ihr denkt: Das ist der Klapperstorch,
   watet durch die Sümpfe.
   Er hat ein schwarzweiß Röcklein an
   und trägt rote Strümpfe.
   Fängt die Frösche, schnapp, schnapp, schnapp.
   Klappert lustig, klapperdiklapp.
   Nein, das ist die Störchin.

In einem kleinen Apfel

In — ei - nem klei - nen Ap - fel da — sieht es lus - tig aus,

es — sind da - rin fünf Stüb - chen, grad wie in ei - nem Haus.

Text: Else Fromm
Melodie: nach Wolfgang Amadeus Mozart

1. In einem kleinen Apfel,
   da sieht es lustig aus,
   es sind darin fünf Stübchen,
   grad wie in einem Haus.

2. In jedem Stübchen wohnen
   zwei Kernchen, schwarz und klein,
   die liegen drin und träumen
   vom warmen Sonnenschein.

3. Sie träumen auch noch weiter
   gar einen schönen Traum,
   wie sie einst werden hängen
   am schönen Weihnachtsbaum.

Der ist ins Wasser gefallen

Der ist ins Wasser gefallen,
der hat ihn herausgeholt,
der hat ihn ins Bett gelegt,
der hat ihn zugedeckt
und der kleine Schelm da
hat ihn wieder aufgeweckt.

Der ist in'n Busch gegangen

Der ist in'n Busch gegangen,
der hat's Häschen gefangen,
der hat's heimgebracht,
der hat's gebraten,
und der – hat's verraten.

Das ist der Daumen

Das ist der Daumen,
der schüttelt die Pflaumen,
der hebt sie auf,
der trägt sie nach Haus
und der Kleine isst sie alle, alle auf.

Fünf Bäume

Fünf Bäume stehn im Garten.
Die will ich fleißig warten,
damit sie im Herbst, nach sonnigen Tagen,
recht viele Früchte tragen.

Der Baum, der kleine Daumen,
trägt meist die schönsten Pflaumen.
Der Zeigefinger Birnen, süß und fein,
für Jungen und für Mädchen klein.

Der Mittlere ist ein Apfelbaum,
der Vierte ist ein Kirschenbaum.
Und dieses kleine Fingerlein
soll mein grüner Weinstock sein.

*Fünf Finger einer Hand der Reihe nach
strecken, aufzählen.*

Wir steigen in den Zeppelin

Wir steigen in den Zeppelin
und fliegen bis zur Oma hin.
Langsam erst, dann geht es schneller,
rundherum wie ein Propeller.
Endlich sind wir da,
bei unsrer Großmama.

*Mit dem Kind auf dem Arm sich erst langsam,
dann immer schneller herumdrehen.*

Fünf Fingerleute

Fünf Fingerleute
wollen heute auf die große Reise gehn.

Fünf Fingerleute
wollen heute mal die große Welt ansehn.

Es sagt der dicke Daumenmann:
„Ich fahre mit der Eisenbahn."

Der Zeigefingermann sagt:
„Nein, ich steige in das Auto ein!"

Der Lange, der fährt Omnibus
und schickt uns einen Urlaubsgruß.

Ringfinger, der will Seemann sein.
Drum steigt er in den Dampfer ein.

Ins Flugzeug steigt der kleine Mann –
sieht sich die Welt von oben an.

*Hände heben, die fünf Finger zeigen, mit
beiden Händen den Begriff „groß" andeuten.
Bei „die Welt ansehn" die Hand über die Augen
halten (in die Ferne sehn).
Beide Hände zusammenlegen, das rhythmische
Bewegen des fahrenden Zuges andeuten, dabei
Geräusche imitieren.
Linke Hand als Auto (Bus) leicht schließen,
mit rechtem Zeigefinger Einsteigen andeuten;
Kusshand zuwerfen (Urlaubsgruß).
Dampfer mit zusammengelegten Händen
darstellen, Daumen hochhalten, wellenartige
Bewegungen ausführen.
Flugzeug: Arme als Tragflächen auf und ab bewegen.*

Jetzt steigt Hampelmann

Jetzt steigt Ham - pel - mann, jetzt steigt Ham - pel - mann,

jetzt steigt Ham - pel - mann aus sei - nem Bett he - raus.

Oh du mein Ham - pel - mann, mein Ham - pel - mann, mein Ham - pel - mann!
Oh du mein Ham - pel - mann, mein Ham - pel - mann bist du.

Text und Melodie: Volkslied aus Holstein

1. Jetzt steigt Hampelmann, jetzt steigt Hampelmann,
   jetzt steigt Hampelmann aus seinem Bett heraus.
   Oh du mein Hampelmann, mein Hampelmann, mein Hampelmann!
   Oh du mein Hampelmann, mein Hampelmann bist du.

2. Jetzt zieht Hampelmann, jetzt zieht Hampelmann,
   jetzt zieht Hampelmann sich seine Strümpfe an.

3. Jetzt zieht Hampelmann, jetzt zieht Hampelmann,
   jetzt zieht Hampelmann sich seine Hose an.

4. Jetzt zieht Hampelmann, jetzt zieht Hampelmann,
   jetzt zieht Hampelmann sich seine Jacke an.

5. Jetzt setzt Hampelmann, jetzt setzt Hampelmann,
   jetzt setzt Hampelmann sich seine Kappe auf.

6. Jetzt geht Hampelmann, jetzt geht Hampelmann,
   jetzt geht Hampelmann mit seiner Frau spaziern.

7. Jetzt tanzt Hampelmann, jetzt tanzt Hampelmann,
   jetzt tanzt Hampelmann mit seiner lieben Frau.

Bruder Jakob

Kanon zu 4 Stimmen

Bru - der Ja - kob, Bru - der Ja - kob, schläfst du noch, schläfst du noch?

Hörst du nicht die Glo - cken, hörst du nicht die Glo - cken?

Ding, dong, ding, ding, dong, ding!

Bruder Jakob, Bruder Jakob,
schläfst du noch, schläfst du noch?
Hörst du nicht die Glocken, hörst du nicht die Glocken?
Ding, dong, ding, ding, dong, ding!

Text und Melodie: Volkslied aus Frankreich (1870)

Ich fahr mit der Schneckenpost

Kanon zu 4 Stimmen

Ich fahr, ich fahr, ich fahr mit der Post! Fahr mit der Schne - cken - post,

die mich kein Kreu - zer kost', ich fahr, ich fahr, ich fahr mit der Post.

Ich fahr, ich fahr, ich fahr mit der Post!
Fahr mit der Schneckenpost,
die mich kein Kreuzer kost',
ich fahr, ich fahr, ich fahr mit der Post!

Text und Melodie: Volkslied aus Österreich

All die vielen kleinen Zwerge

All die vielen kleinen Zwerge
aus dem hohen Tannenberge
wollen heut spazieren gehen,
denn die Sonne scheint so schön.

All die Pax und Pox und Pitze
wackeln mit der Zipfelmütze,
zwicken sich und zwacken sich,
haschen sich und fangen sich!

Doch, oh weh, da kommt sodann
eine dicke Wolke an.
Viele kleine Regentröpfchen
fallen auf die Zwergenköpfchen!

Zwerglein laufen schnell nach Haus,
reißen vor der Wolke aus
in ihr sicheres Versteck!
Husch, da sind sie wieder weg!

*Bewegungen „kleine", „hohe", „spazieren gehen"
mit den Fingern nachahmen. Bei „Sonne" Arme
über dem Kopf kreuzen.
Bei „Pax und Pox und Pitze" jeweils Daumen,
Zeigefinger, Mittelfinger strecken; wackeln mit
den Händen, die zur „Mütze" aneinandergelegt
sind. „Dick" mit den Armen andeuten (Wolke),
Bewegung des „Tröpfelns", „Laufen" am Platz mit
den Händen auf dem Tisch nachahmen. Zum
Schluss Hände auf den Rücken legen.*

Da oben auf dem Berge

Da oben auf dem Berge,
da ist der Teufel los,
da zanken sich zwei Zwerge
Um ein'n Kartoffelkloß.
Der eine wollt ihn haben,
der andre ließ nicht los:
So zanken sich zwei Zwerge
um ein'n Kartoffelkloß.

17

Backe, backe Kuchen

Text und Melodie: Volkslied

Ba-cke, ba-cke Ku-chen, der Bä-cker hat ge-ru-fen! Wer will gu-ten

Ku-chen ba-cken, der muss hab-en sie-ben Sa-chen: Ei - er und Schmalz,
But-ter und Salz,
Milch und Mehl,

Sa-fran macht den Ku-chen gehl: Schieb, schieb in' O - fen 'nein.

Backe, backe Kuchen,
der Bäcker hat gerufen!
Wer will guten Kuchen backen,
der muss haben sieben Sachen:
Eier und Schmalz,
Butter und Salz,
Milch und Mehl,
Safran macht den Kuchen gehl:
Schieb, schieb in' Ofen 'nein.

Wer will fleißige Handwerker sehn

Wer will flei - ßi - ge Hand - wer - ker sehn, der muss zu uns Kin - dern gehn.

Stein auf Stein, Stein auf Stein, das Häus - chen wird bald fer - tig sein.

Text und Melodie: Volkslied

Refrain:
Wer will fleißige Handwerker sehn,
der muss zu uns Kindern gehn.

1. Stein auf Stein, Stein auf Stein,
das Häuschen wird bald fertig sein.

Refrain: Wer will …

2. Oh wie fein, oh wie fein,
der Glaser setzt die Scheiben ein.

Refrain: Wer will …

3. Tauchet ein, tauchet ein,
der Maler streicht die Wände fein.

Refrain: Wer will …

4. Zisch, zisch, zisch, zisch, zisch, zisch,
der Schreiner hobelt glatt den Tisch.

Refrain: Wer will …

5. Poch, poch, poch, poch, poch, poch,
der Schuster schustert zu das Loch.

Refrain: Wer will …

6. Stich, stich, stich, stich, stich, stich,
der Schneider näht ein Kleid für mich.

Refrain: Wer will …

7. Tripp, trapp, drein, tripp, trapp, drein,
jetzt gehn wir von der Arbeit heim.

Refrain: Wer will …

8. Hopp, hopp, hopp, hopp, hopp, hopp,
jetzt tanzen alle im Galopp.

Das ist der Daumen Knudeldick

Das ist der Daumen Knudeldick,
das sieht man auf den ersten Blick.
Und macht das Kind ein Fäustchen,
kriecht Knudeldick ins Häuschen.

Der Zeigefinger, der ist klug,
der droht, wenn jemand Böses tut.
Bringt unser Kind zum Lachen
beim Kille-kille machen.

Der Dritte ist der größte hier,
viel länger als die andern vier.
Da kann er schön bewachen,
was seine Brüder machen.

Der Vierte ist ein eitles Ding,
der trägt am liebsten einen Ring.
Und schmückt er sich zum Feste,
denkt er, er wär der Beste.

Von allen Fingern kommt zum Schluss
der winzig kleine Pfiffikus.
Der wedelt mit dem Schwänzchen
beim frohen Fingertänzchen.

Zuerst Faust bilden, Daumen darin verstecken.
Dann mit dem Zeigefinger drohen, ihn krüm-
men. Auf den dritten Finger zeigen. Bewegung
des Ringansteckens ausführen. Mit dem kleinen
Finger Bewegung des Wedelns ausführen.
Zum Schluss alle Finger bewegen.

Der Tischler

Zisch, zisch, zisch,
der Tischler hobelt den Tisch.
Tischler, hoble den Tisch mir glatt,
damit er keine Löcher hat.
Zisch, zisch, zisch,
Tischler, hoble den Tisch.

Lang, lang, lang,
Tischler, hoble die Bank.
Tischler, hoble sie recht blank,
dass daran kein Span mehr hang.
Lang, lang, lang,
Tischler, hoble die Bank.

Friedrich Fröbel

Die rechte Hand wird flach ausgestreckt
und auf die Handkante gestellt, der Dau-
men nach oben gehalten. Mit der linken
Faust wird der Daumen umschlossen und
so das Hobeln nachgeahmt.

Das Männlein

Es geht ein Männlein über die Brücken,
das trägt einen schweren Sack auf dem Rücken.
Es stößt an den Pfosten,
der Pfosten kracht,
der Pfosten bricht,
das Männlein lacht –
plumps!
Da liegt es in dem Bach!

Die linke Hand wölbt sich zur Brücke, der kleine
Finger ist gestreckt (Pfosten). Das Männlein ist
der rechte Daumen, die Faust schleppt er als Sack
auf die Brücke zu.

Däumchens Seereise

Die beiden Däumchen, dick und klein,
die stiegen in ein Schiff hinein.
Das Schiffchen schaukelte hin und her,
es fuhr hinaus aufs weite Meer.

Da ward den Däumchen bang zumut:
„Ach lieber Wind, sei doch so gut
und stell das dumme Blasen ein,
wir fürchten uns so ganz allein."

Da blies der Wind nicht mehr
und schickte Sonnenschein aufs Meer!
Die Däumchen fuhren heim geschwind
und sagten „Schönen Dank, Herr Wind!"

Fäuste bilden, die Daumen aufstellen, die Finger beider Hände zu einem „Kahn" leicht aneinander legen. Daumen einbiegen, dann wieder aufrichten; mit dem „Kahn" schaukeln. Hände an den Mund legen und wie der Wind blasen. Schließlich wieder wie am Anfang Fäuste bilden und beide Daumen aufrecht halten.

Grün sind alle meine Kleider

Grün, grün, grün sind al - le mei - ne Klei - der,

grün, grün, grün ist al - les, was ich hab.

Da - rum— lieb ich al - les, was grün ist,

weil mein Schatz ein Jä - ger— ist.

Text und Melodie: Volkslied aus Pommern (17. Jahrh.)

1. Grün, grün, grün sind alle meine Kleider,
   grün, grün, grün ist alles, was ich hab.
   Darum lieb ich alles, was grün ist,
   weil mein Schatz ein Jäger ist.

2. Rot, rot, rot sind alle meine Kleider,
   rot, rot, rot ist alles, was ich hab.
   Darum lieb ich alles, was rot ist,
   weil mein Schatz ein Reiter ist.

3. Blau, blau, blau sind alle meine Kleider,
   blau, blau, blau ist alles, was ich hab.
   Darum lieb ich alles, was blau ist,
   weil mein Schatz ein Matrose ist.

4. Schwarz, schwarz, schwarz sind alle meine Kleider,
   schwarz, schwarz, schwarz ist alles, was ich hab.
   Darum lieb ich alles, was schwarz ist,
   weil mein Schatz ein Schornsteinfeger ist.

5. Weiß, weiß, weiß sind alle meine Kleider,
   weiß, weiß, weiß ist alles, was ich hab.
   Darum lieb ich alles, was weiß ist,
   weil mein Schatz ein Bäcker ist.

6. Bunt, bunt, bunt sind alle meine Kleider,
   bunt, bunt, bunt ist alles, was ich hab.
   Darum lieb ich alles, was bunt ist,
   weil mein Schatz ein Maler ist.

Drei Chinesen mit dem Kontrabass

Drei Chi - ne - sen mit dem Kon - tra - bass

sa - ßen auf der Stra - ße und er - zähl - ten sich was.

Da kam die Po - li - zei: Ja was ist denn das?

Drei Chi - ne - sen mit dem Kon - tra - bass.

Text und Melodie: Volkslied

1. Drei Chinesen mit dem Kontrabass
   saßen auf der Straße und erzählten sich was.
   Da kam die Polizei: Ja, was ist denn das?
   Drei Chinesen mit dem Kontrabass.

   (Alle Vokale werden durch a, e, i, o, u ersetzt)

2. Dra Chanasan mat dam Kantrabass ...

3. Dre Chenesen met dem Kentrebess ...

4. Dri Chinisin mit dim Kintribiss ...

5. Dro Chonoson mot dom Kontroboss ...

6. Dru Chunusun mut dum Kuntrubuss ...

Eia, mein Kindchen

Eia, mein Kindchen, ich hab dich so lieb.
Zum Schmusen und Streicheln dein Händchen mir gib!

Eia, mein Kindchen, ich hab dich so lieb.
Zum Schmusen und Streicheln dein Beinchen mir gib!

Eia, mein Kindchen, ich hab dich so lieb.
Zum Schmusen und Streicheln dein Köpfchen mir gib!

*Dem Text entsprechend Hände, Beine
und das Köpfchen des Kindes streicheln.*

Ist das ein Hund?

Ist das ein Hund?
Nein, nein, mein Mund!

Ist das ein Tor?
Nein, nein, mein Ohr!

Ist das ein Hase?
Nein, nein, meine Nase!

Ist das ein Topf?
Nein, nein, mein Kopf!

Klopf, klopf, mach auf
und lass mich ein!
Wir wollen gute Freunde sein.

*Die einzelnen Körperteile werden
angetippt, das Kind kann bei der
Wiederholung des Reims
selbst antworten.*

Wer ist denn das?

Wer ist denn das? Wer ist denn das?
Wen habe ich denn hier?
Ist das nicht mein Schmuseschatz,
der da lacht mit mir?
Schmusekätzchen – Schmuseschätzchen
sitzt auf meinem Schoß.
Schaut euch unser Kindchen an,
das ist ja schon sooo groß!

*Arme des Kindes bei „sooo" hoch strecken
lassen.*

Zeigt her eure Füße

Refrain

Zeigt her eu - re Fü - ße, zeigt her eu - re Schuh

und se - het den flei - ßi - gen Wasch - frau - en zu!

Strophe

Sie wa - schen, sie wa - schen, sie wa-schen den gan - zen Tag.

Text und Melodie: Volkslied

Refrain:
Zeigt her eure Füße, zeigt her eure Schuh
und sehet den fleißigen Waschfrauen zu!

1. Sie waschen, sie waschen,
   sie waschen den ganzen Tag.

   Refrain: Zeigt her …

2. Sie winden, sie winden,
   sie winden den ganzen Tag.

   Refrain: Zeigt her …

3. Sie hängen, sie hängen,
   sie hängen den ganzen Tag.

   Refrain: Zeigt her …

4. Sie legen, sie legen,
   sie legen den ganzen Tag.

   Refrain: Zeigt her …

5. Sie rollen, sie rollen,
   sie rollen den ganzen Tag.

   Refrain: Zeigt her …

6. Sie bügeln, sie bügeln,
   sie bügeln den ganzen Tag.

   Refrain: Zeigt her …

7. Sie klatschen, sie klatschen,
   sie klatschen den ganzen Tag.

   Refrain: Zeigt her …

8. Sie ruhen, sie ruhen,
   sie ruhen den ganzen Tag.

   Refrain: Zeigt her …

9. Sie tanzen, sie tanzen,
   sie tanzen den ganzen Tag.

   Refrain: Zeigt her …

Ein Männlein steht im Walde

Ein Männ-lein steht im Wal - de ganz still und stumm.
Es hat von lau - ter Pur - pur ein Mänt - lein um.

Sagt, wer mag das Männ-lein sein, das da steht im Wald al - lein

mit dem pur - pur - ro - ten Män - te - lein?

Text: Heinrich Hoffmann v. Fallersleben (1789–1874)
Melodie: Volkslied vom Niederrhein

1. Ein Männlein steht im Walde ganz still und stumm.
   Es hat von lauter Purpur ein Mäntlein um.
   Sagt, wer mag das Männlein sein, das da steht im Wald allein
   mit dem purpurroten Mäntelein?

2. Das Männlein steht im Walde auf einem Bein
   und hat auf seinem Haupte schwarz' Käpplein klein.
   Sagt, wer mag das Männlein sein, das da steht im Wald allein
   mit dem kleinen schwarzen Käppelein?

Froh zu sein bedarf es wenig

Kanon zu 4 Stimmen

Froh zu sein be - darf es we - nig und wer froh ist, ist ein Kö - nig.

Froh zu sein bedarf es wenig
und wer froh ist, ist ein König.

Text und Melodie: August Mühling (1786–1847)

Heut kommt der Hans zu mir

Kanon zu 2 Stimmen

Heut kommt der Hans zu mir, freut sich die Lies. Ob er a - ber ü - ber

O - ber - am - mer - gau o - der a - ber ü - ber Un - ter - am - mer - gau

o - der a - ber ü - ber - haupt nicht kommt, das ist nicht g'wiss.

Text und Melodie: Volkslied

Heut kommt der Hans zu mir, freut sich die Lies.
Ob er aber über Oberammergau
oder aber über Unterammergau
oder aber überhaupt nicht kommt, das ist nicht g'wiss.

Spaßlied:
Hans isst den Schweizerkäs ohne Gebiss.
Ob er aber mit dem Oberkiefer kaut
oder aber mit dem Unterkiefer kaut
oder aber überhaupt nicht kaut, das ist nicht g'wiss.

27

Hänsel und Gretel

Hän - sel und Gre - tel ver - irr - ten sich im Wald.
Es war so fins - ter und auch so bit - ter kalt.

Sie ka - men an ein Häus - chen von Pfef - fer - ku - chen fein.

Wer mag der Herr wohl von die - sem Häus - chen sein?

Text und Melodie: Volkslied

1. Hänsel und Gretel verirrten sich im Wald.
   Es war so finster und auch so bitterkalt.
   Sie kamen an ein Häuschen von Pfefferkuchen fein.
   Wer mag der Herr wohl von diesem Häuschen sein?

2. Hu, hu! Da schaut eine alte Hex heraus.
   Sie lockt die Kinder ins Pfefferkuchenhaus.
   Sie stellte sich gar freundlich: Oh Hänsel, welche Not!
   Sie will dich braten im Ofen braun wie Brot.

3. Doch als die Hexe zum Ofen schaut hinein,
   ward sie gestoßen von unserm Gretelein.
   Die Hexe musste braten, die Kinder gehn nach Haus.
   Nun ist das Märchen von Hans und Gretel aus.

Hinzelpinz,
der kleine Wicht

Hinzelpinz, der kleine Wicht,
kochte sich sein Leibgericht.

Und dann füllt er – eins, zwei, drei –
auf den Teller süßen Brei.

In sein buntes Becherlein
goss er auch noch Milch hinein.

Hat das Mündchen blank geleckt
und gesagt: „Das hat geschmeckt."

Das ist die Hexe
Krimskrawall

Das ist die Hexe Krimskrawall.
Das ist der Räuber Überfall.
Das ist der Dieb Nimmallesmit.
Das ist der Teufel Höllenritt.
Da kommt ein Lausbub angegangen,
hat die Gesellschaft eingefangen.

Morgens früh um sechs

Morgens früh um sechs
kommt die kleine Hex.

Morgens früh um sieben
schabt sie gelbe Rüben.

Morgens früh um acht
wird der Kaffee gemacht.

Morgens früh um neun
geht sie in die Scheun.

Morgens früh um zehn
holt sie Holz und Spän,

feuert an um elf,
kocht dann bis um zwölf,

Fröschebein, Krebs und Fisch:
Hurtig, Kinder, kommt zu Tisch!

Es war einmal ein Mann

Es war einmal ein Mann,
so fängt mein Märchen an,
der hatte eine Kuh,
nun hör mir fleißig zu,
die Kuh, die hatt ein Kalb,
mein Märchen ist jetzt halb,
das Kalb hat eine bunte Schnauz,
jetzt ist mein Märchen aus.

Das Hexenhaus

Im Wald, da steht ein Hexenhaus,
die Hexe guckt zum Fenster raus.
Zwei Fäuste aneinanderhalten.
Ein Daumen schaut hervor.

Da kommt das kleine Hänschen her
und ärgert die Hexe gar zu sehr.
Der andere Daumen kommt dazu.
Die Daumen balgen sich.

Die Hexe klopft darauf bumm-bumm,
da fällt das kleine Hänschen um.
Ein Daumen klopft auf den anderen.
Ein Daumen kippt nach unten.

Klein Hänschen kriegt 'nen Riesen Schreck,
und läuft weg.
Entsprechendes Geräusch machen.
Der Daumen verschwindet.

Die Hexe aber ruft: „Juhu!"
Jetzt hab' ich wieder meine Ruh.
Anderer Daumen verschwindet.

In dem Walde steht ein Haus

In dem Walde steht ein Haus,
schaut ein Reh zum Fenster raus,
kommt ein Häslein angerannt,
klopfet an die Wand.
„Helft mir doch in meiner Not,
sonst schießt mich der Jäger tot."
„Armes Häschen, komm herein,
reich mir deine Hand."

Ein Haus in die Luft zeichnen, durch ein imaginäres Fernglas aus Daumen und Zeigefingern schauen, anklopfen. Mit beiden Händen nach Hilfe winken, mit den Zeigefingern ein Gewehr bilden. Das „Häschen" mit dem Zeigefinger ins Haus locken und schließlich dem Kind die Hand geben.

Dornröschen

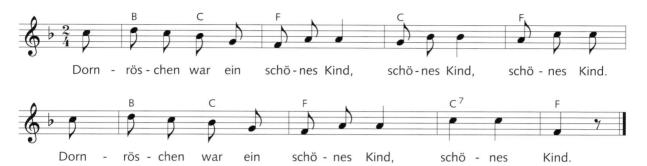

Dorn - rös - chen war ein schö - nes Kind, schö - nes Kind, schö - nes Kind.

Dorn - rös - chen war ein schö - nes Kind, schö - nes Kind.

Text und Melodie: Volkslied aus Kassel

1. Dornröschen war ein schönes Kind,
   schönes Kind, schönes Kind.
   Dornröschen war ein schönes Kind,
   schönes Kind.

2. Dornröschen, nimm dich ja in Acht,
   ja in Acht, ja in Acht ...

3. Da kam die böse Fee herein,
   Fee herein, Fee herein ...

4. Dornröschen, schlafe hundert Jahr,
   hundert Jahr, hundert Jahr ...

5. Da wuchs die Hecke riesengroß,
   riesengroß, riesengroß ...

6. Da kam ein junger Königssohn,
   Königssohn, Königssohn ...

7. Dornröschen, wache wieder auf,
   wieder auf, wieder auf ...

8. Da feierten sie das Hochzeitsfest,
   Hochzeitsfest, Hochzeitsfest ...

9. Da jubelte das ganze Volk,
   ganze Volk, ganze Volk ...

Da hat sich jemand wehgetan

Da hat sich jemand wehgetan,
jetzt geht's eins-zwei-drei.
Aus dem dicken Zauberbuch
sagen wir den Zauberspruch:
„Brix – brax – breile –
wird alles wieder heile!"
Und alles ist vorbei.

Wo tut's weh?

Wo tut's weh?
Hol ein bisschen Schnee,
hol ein bisschen kühlen Wind,
dann vergeht es ganz geschwind!

Wo tut's weh?
Trink ein Schlückchen Tee,
iss 'nen Löffel Haferbrei,
morgen ist es längst vorbei!

Heile, heile Segen!

Heile, heile Segen!
Drei Tage Regen,
drei Tage Sonnenschein,
dann wird's wieder besser sein.

Was hat denn mein Schätzchen?

Was hat denn mein Schätzchen?
Was tut ihm denn weh?
Wir pusten die Schmerzen
hinein in den See.

Heile, Kätzchen, heile

Heile, Kätzchen, heile,
die Katze hat vier Beine.
Vier Beine und 'nen langen Schwanz,
morgen ist alles heil und ganz.

Nicht weinen!

Nicht weinen! Nicht weinen!
Gleich ist alles wieder gut!
Das Wehweh soll weggehn,
es tut gar nicht gut.
Fenster auf – hinaus mit dir!
Türen auf – hinaus mit dir!
Einmal Regen – einmal Schnee –
und schon tut es nicht mehr weh.

Heile, heile Gänschen

Heile, heile Gänschen,
das Kätzchen hat ein Schwänzchen.
Heile, heile Mäusespeck,
in hundert Jahren ist alles weg.

Die Affen rasen durch den Wald

Lustiges aus dem Reich der Tiere

Ich bin ein kleiner Tanzbär

Ich bin ein kleiner Tanz-bär und kom-me aus dem Wald. Ich
such mir ei-ne Freun-din und fin-de sie ja bald.

Ei, wir tan-zen ja so fein von ei-nem auf das and-re Bein.

Ich bin ein kleiner Tanzbär
und komme aus dem Wald.
Ich such mir eine Freundin
und finde sie ja bald.
Ei, wir tanzen ja so fein
von einem auf das andere Bein.

Text und Melodie: Volkslied

36

Ich bin ein kleines Eselchen

Ich bin ein klei-nes E-sel-chen und wan-dre durch die Welt;

ich wack-le mit dem Hin-ter-teil, so wie es mir ge-fällt.

I-a, i-a, i-a, i-a, i-a!

Text und Melodie: Volkslied

Ich bin ein kleines Eselchen
und wandre durch die Welt;
ich wackle mit dem Hinterteil,
so wie es mir gefällt.
Ia, ia, ia, ia, ia!

Die Affen rasen durch den Wald

Strophe

Die Af - fen ra - sen durch den Wald, mal hier mal dort ihr

Refrain

Ru - fen schallt. Die gan - ze Af - fen - ban - de brüllt: Wo ist die

Ko - kos - nuss, wo ist die Ko - kos - nuss, wer hat die Ko - kos - nuss ge - klaut? - klaut?

Text und Melodie: Volkslied

1. Die Affen rasen durch den Wald,
   mal hier, mal dort ihr Rufen schallt.

   Refrain:
   Die ganze Affenbande brüllt:
   Wo ist die Kokosnuss, wo ist die Kokosnuss,
   wer hat die Kokosnuss geklaut?

2. Die Affenmama sitzt am Fluss
   und angelt nach der Kokosnuss.

   Refrain: Die ganze Affenbande …

3. Der Affenonkel, welch ein Graus,
   reißt alle Urwaldbäume aus.

   Refrain: Die ganze Affenbande …

4. Die Affentante kommt von fern,
   sie isst die Kokosnuss so gern.

   Refrain: Die ganze Affenbande …

5. Der Affenmilchmann, dieser Knilch,
   der wartet auf die Kokosmilch.

   Refrain: Die ganze Affenbande …

6. Das Affenbaby voll Genuss
   hält in der Hand die Kokosnuss.

   Refrain:
   Die ganze Affenbande brüllt:
   Da ist die Kokosnuss, da ist die Kokosnuss,
   es hat die Kokosnuss geklaut!

7. Die Affenoma schreit: Hurra!
   Die Kokosnuss ist wieder da!

   Refrain:
   Die ganze Affenbande brüllt:
   Da ist die Kokosnuss, da ist die Kokosnuss,
   es hat die Kokosnuss geklaut!

8. Und die Moral von der Geschicht:
   Klaut keine Kokosnüsse nicht!

   Refrain:
   Weil sonst die Affenbande brüllt:
   Wo ist die Kokosnuss, wo ist die Kokosnuss,
   wer hat die Kokosnuss geklaut?

Das Krokodil

Das Krokodil,
das Krokodil,
mit seinem Maule
frisst es viel.

Liegt lange wie
im schönsten Traum,
ganz reglos wie
ein Stamm vom Baum.

Dann schnappt es zu!
Vorbei die Ruh!
Reiß aus, lauf weg!
Du lieber Schreck!

Pass auf, dass nicht
es dich erwischt!

Ursula Zamanduidis

*Daumen und übrige Finger
werden gegeneinander bewegt,
rhythmisch auf – zu im Wechsel
(Maul des Krokodils).
Bei „liegt lange" die Hände still
halten, danach schnappen die
Finger zu.*

Ein Esel hat vier Beine

Ein Esel hat vier Beine,
die Schlange, die hat keine;
zwei Beine hat ein Vögelein,
vier Beine hat ein Stachelschwein;
und wie viel Beine hat ein Stein?
Reichen deine Fingerlein?

Giraffe länglich

Giraffe länglich
beklagte sich bänglich:

„Wenn es feste stürmt und windet,
jeder einen Schal umbindet.

Ich armes Tier!
Wer hilft mir?"

Da ruft der Peter:
„Lass dein Gezeter!

Hier bring ich dir
zweihundert Meter.

Der Schal reicht weit
und weit und weiter."

Doch wo ist eine Leiter?

Erika Schirmer

39

Es war einmal ein Häschen

Es war einmal ein Häschen.
Das putzt' sich nicht das Näschen.
Da sprach die Frau Mama:
„Mein liebes kleines Häschen,
putzt du dir nicht das Näschen,
dann sag ich's dem Papa."
Da lief das kleine Häschen
und suchte unter Gräschen
ein feines Blättchen aus,
putzte sich schnell das Näschen
und lief geschwind nach Haus.
Die Mutti sah es kommen,
hat's auf den Arm genommen:
„Mein liebes kleines Häschen,
wie sauber ist dein Näschen",
und gab ihm einen Kuss.

Rechte Hand deutet den Hasen an – das Naseputzen
nachahmen – mit der Hand weglaufen andeuten;
linke Hand nimmt die rechte Hand als „Hasen" auf
den Arm, streichelt ihn und deutet einen Kuss an.

Rische, rusche, rasche

Rische, rusche, rasche,
was hab ich in der Tasche?
Hab ich eine Nuss bei mir?
Komm herbei und hol sie dir!

Rische, rasche, rei,
Mäuschen komm herbei.
Sag, wo willst du wohnen?
Unten oder oben?

Rische, rasche, rusche,
der Hase sitzt im Busche.
Häschen, Häschen, komm heraus
aus deinem kleinen Hasenhaus!

Man versteckt ein kleines Geschenk in der Hand,
setzt dann die Fäuste abwechselnd übereinander;
das Kind muss am Ende des Reimes raten, in welcher
Hand das Geschenk steckt.

Auf der Mauer, auf der Lauer

Auf der Mau - er, auf der Lau - er sitzt 'ne klei - ne Wan - ze. Wan - ze.

Seht euch mal die Wan - ze an, wie die Wan - ze tan - zen kann!

Auf der Mau - er, auf der Lau - er sitzt 'ne klei - ne Wan - ze.

Text und Melodie: Volkslied

1. Auf der Mauer, auf der Lauer
   sitzt 'ne kleine Wanze.
   Seht euch nur die Wanze an,
   wie die Wanze tanzen kann!
   Auf der Mauer, auf der Lauer
   sitzt 'ne kleine Wanze.

2. Auf der Mauer, auf der Lauer
   sitzt 'ne kleine Wanz.
   Seht euch nur die Wanz an,
   wie die Wanz tanz kann!

3. Auf der Mauer, auf der Lauer
   sitzt 'ne kleine Wan.
   Seht euch nur die Wan an,
   wie die Wan tan kann!

4. Auf der Mauer, auf der Lauer
   sitzt 'ne kleine Wa.
   Seht euch nur die Wa an,
   wie die Wa ta kann!

5. Auf der Mauer, auf der Lauer
   sitzt 'ne kleine W.
   Seht euch nur die W an,
   wie die W t kann!

6. Auf der Mauer, auf der Lauer
   Sitzt 'ne kleine –.
   Seht euch nur die – an,
   wie die – – kann!

Alle meine Entchen

Al - le mei - ne   Ent-chen schwim-men auf dem   See,   schwim-men auf dem   See,

Köpf - chen   in   das   Was - ser,   Schwänz-chen   in   die   Höh.

Text und Melodie: Volkslied

1. Alle meine Entchen schwimmen auf dem See,
   Köpfchen in das Wasser, Schwänzchen in die Höh.

2. Alle meine Tauben gurren auf dem Dach,
   fliegt eins in die Lüfte, fliegen alle nach.

3. Alle meine Hühner scharren in dem Stroh,
   finden sie ein Körnchen, sind sie alle froh.

4. Alle meine Gänschen watscheln durch den Grund,
   suchen in dem Tümpel, werden kugelrund.

Heut ist ein Fest bei den Fröschen am See

Kanon zu 3 Stimmen

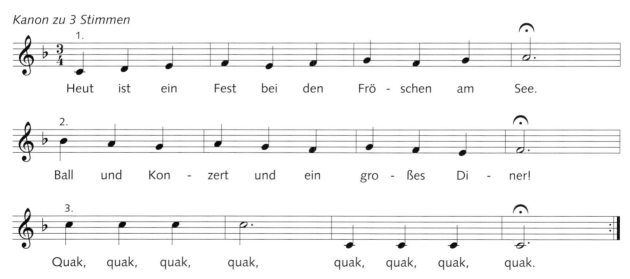

1. Heut   ist   ein   Fest   bei   den   Frö - schen   am   See.

2. Ball   und   Kon - zert   und   ein   gro - ßes   Di - ner!

3. Quak,   quak,   quak,   quak,   quak,   quak,   quak,   quak.

Heut ist ein Fest bei den Fröschen am See,
Ball und Konzert und ein großes Diner!
Quak, quak, quak, quak, quak, quak, quak, quak!

Text und Melodie: Volkslied

Meine Fingerlein sollen Tiere sein

Alle meine Fingerlein
sollen einmal Tiere sein.
Dieser Daumen, dick und rund,
ist der große Schäferhund.

Zeigefinger – stolzes Pferd,
von dem Ritter wohl geehrt.
Mittelfinger – bunte Kuh,
die macht immer muh, muh, muh.

Ringfinger ist der Ziegenbock
mit dem langen Zottelrock.
Und das kleine Fingerlein
soll einmal ein Schäfchen sein.

Alle Tierlein laufen hopp, hopp,
laufen im Galopp, Galopp,
laufen in den Stall hinein,
denn es wird bald Abend sein.

Alle Tierlein schlafen ein,
träumen von dem Sonnenschein.
Kikeriki! Kikeriki! Alle Tierlein wachen auf
und beginnen ihren Lauf.
Trip – trap – trap und Trip – trap – trap.

Hast einen Taler

Hast einen Taler,
gehst zum Markt,
kaufst eine Kuh,
Kälbchen dazu.
Kälbchen hat ein Schwänzchen,
macht: dideldideldänzchen.

Zu Beginn die rechte Hand hochhalten.
Der Daumen (Schäferhund) beginnt das Spiel.
Bei der Vorstellung der Tiere der Reihe nach
jeden Finger mit dem Zeigefinger der linken
Hand antippen. Ringfinger: Arme auseinander
breiten und so Länge des Zottelrocks andeuten.
Mittelfinger: Muh! rufen.
Die ganze Hand mit auf den Tisch aufgestützten
Fingern deutet das Galoppieren aller Tiere an,
die linke Hand ist der Stall und deckt am
„Abend" die rechte Hand zu.

Onkel Jörg hat einen Bauernhof

On - kel Jörg hat ei - nen Bau - ern - hof, Hei - a, hei - a, ho.
Und da lau - fen vie - le Hüh - ner rum, hei - a, hei - a ho.

Es macht tuk - tuk hier, es macht tuk - tuk da,

tuk - tuk hier, tuk - tuk da, tuk - tuk ü - ber - all.

Text und Melodie: Volkslied aus England

1. Onkel Jörg hat einen Bauernhof, heia, heia, ho.
Und da laufen viele Hühner rum, heia, heia, ho.
Es macht tuk-tuk hier, es macht tuk-tuk da,
tuk-tuk hier, tuk-tuk da, tuk-tuk überall.

2. Onkel Jörg hat einen Bauernhof, heia, heia, ho.
Und da laufen viele Gänse rum, heia, heia, ho.
Es macht gack-gack hier, es macht gack-gack da,
gack-gack hier, gack-gack da, gack-gack überall.

3. Onkel Jörg hat einen Bauernhof, heia, heia, ho.
Und da laufen viele Schweine rum, heia, heia, ho.
Es macht oink-oink hier, es macht oink-oink da,
oink-oink hier, oink-oink da, oink-oink überall.

4. Onkel Jörg hat einen Bauernhof, heia, heia, ho.
Und da laufen viele Ziegen rum, heia, heia, ho.
Es macht meck-meck hier, es macht meck-meck da,
meck-meck hier, meck-meck da, meck-meck überall.

5. Onkel Jörg hat einen Bauernhof, heia, heia, ho.
Und da laufen viele Kühe rum, heia, heia, ho.
Es macht muh-muh hier, es macht muh-muh da,
muh-muh hier, muh-muh da, muh-muh überall.

6. Onkel Jörg hat einen Bauernhof, heia, heia, ho.
Und da laufen viele Katzen rum, heia, heia, ho.
Es macht miau-miau hier, es macht miau-miau da,
miau-miau hier, miau-miau da, miau-miau überall.

7. Onkel Jörg hat einen Bauernhof, heia, heia, ho.
Und da laufen viele Schafe rum, heia, heia, ho.
Es macht mäh-mäh hier, es macht mäh-mäh da,
mäh-mäh hier, mäh-mäh da, mäh-mäh überall.

8. Onkel Jörg hat einen Bauernhof, heia, heia, ho.
Und da laufen viele Hunde rum, heia, heia, ho.
Es macht wau-wau hier, es macht wau-wau da,
wau-wau hier, wau-wau da, wau-wau überall.

An meiner Ziege hab ich Freude

An mei - ner Zie - ge hab ich Freu - de, ist ein
Haa - re hat sie wie aus Sei - de, Hör - ner

wun - der schö - nes Tier, Meck, meck, meck, meck.
hat sie wie ein Stier.

Text und Melodie: Volkslied aus Nordböhmen

1. An meiner Ziege hab ich Freude,
   ist ein wunderschönes Tier,
   Haare hat sie wie aus Seide,
   Hörner hat sie wie ein Stier.
   Meck, meck, meck, meck.

2. Sie hat ein ausgestopftes Ranzel
   wie ein alter Dudelsack,
   und ganz hinten hat's ein Schwanzel
   wie ein Stängel Rauchtabak.
   Meck, meck, meck, meck.

Widewidewenne

Wi – de - wi - de - wen – ne   heißt   mei – ne   Put – hen – ne.

Kann - nicht - ruhn   heißt   mein   Huhn,   Wa - ckel - schwanz   heißt   mei - ne Gans.

Wi – de - wi - de - wen – ne   heißt   mei – ne   Put – hen – ne.

Text und Melodie: Volkslied aus Holstein

1. Widewidewenne heißt meine Puthenne.
   Kann-nicht-ruhn heißt mein Huhn,
   Wackelschwanz heißt meine Gans.
   Widewidewenne heißt meine Puthenne.

2. Widewidewenne heißt meine Puthenne.
   Schwarz-und-Weiß heißt meine Geiß,
   Treibe-ein heißt mein Schwein.
   Widewidewenne heißt meine Puthenne.

3. Widewidewenne heißt meine Puthenne.
   Ehrenwert heißt mein Pferd,
   Gute-Muh heißt meine Kuh.
   Widewidewenne heißt meine Puthenne.

4. Widewidewenne heißt meine Puthenne.
   Wettermann heißt mein Hahn,
   Kunterbunt heißt mein Hund.
   Widewidewenne heißt meine Puthenne.

5. Widewidewenne heißt meine Puthenne.
   Guck-heraus heißt mein Haus,
   Schlupf-hinaus heißt meine Maus.
   Widewidewenne heißt meine Puthenne.

6. Widewidewenne heißt mein Puthenne.
   Wohl-getan heißt mein Mann,
   Sausewind heißt mein Kind.
   Widewidewenne heißt meine Puthenne.

7. Widewidewenne heißt meine Puthenne.
   Lebe-recht heißt mein Knecht,
   Spät-betagt heißt meine Magd.
   Widewidewenne heißt meine Puthenne.

   Gesprochen:
   Nun kennt ihr mich mit Mann und Kind
   und meinem ganzen Hofgesind.

Alle unsre Tauben

Strophe

Al - le uns - re Tau - ben sind schon lan - ge wach,
sit - zen auf den Lau - ben, sit - zen auf dem Dach,

sit - zen auf dem— Re - gen - fass: Wer gibt denn uns—

Tau - ben was, wer gibt denn uns Tau - ben was?

Refrain

Tau - ben, Hüh - ner, klei - ne Kind' je - den Mor-gen hung - rig sind.

Text: Gustav Falke
Melodie: M. Georg Winter (1869–1922)

1. Alle unsre Tauben sind schon lange wach,
   sitzen auf den Lauben, sitzen auf dem Dach,
   sitzen auf dem Regenfass:
   Wer gibt denn uns Tauben was,
   wer gibt denn uns Tauben was?

   Refrain:
   Tauben, Hühner, kleine Kind'
   jeden Morgen hungrig sind.

2. Alle unsre Hennen sind schon aus dem Stall,
   gackeln schon und rennen, scharren überall.
   Und der Hahn kräht: Futter her!
   Immer mehr, nur immer mehr,
   immer mehr, nur immer mehr!

   Refrain: Tauben …

3. Alle unsre Kleinen machen ein Geschrei,
   strampeln mit den Beinen, wollen ihren Brei.
   Lirum, larum, Löffelstiel,
   wer krakeelt, der kriegt nicht viel,
   wer krakeelt, der kriegt nicht viel!

   Refrain: Tauben …

Täubchen gurren

Täubchen gurren, Kätzchen schnurren,
Vöglein singen, Pferdchen springen.
Und was kann mein Kindchen machen?
Lachen!

Das Kind kitzeln, bis es lacht.

Schnick,
schnack, Schneckchen

Schnick, schnack, Schneckchen
kommt ums Eckchen.
Schnick, schnack, Schnuckelchen,
was trägst du auf dem Buckelchen?
Ei der Daus, ei der Daus,
ist das nicht ein Schneckenhaus?
Schnick, schnack, schneck
ist auf einmal weg.
Ja, wo ist sie denn?
Ja, wo ist sie denn?
Da, da, da, da, daaaaa!

Zeige- und Mittelfinger der linken Hand krie-
chen, Handrücken nach oben, den Körper des
Kindes hinauf. Das Schneckenhaus ist die Faust
der rechten Hand. Zeige- und Mittelfinger
verschwinden („weg"), indem sie eingezogen
werden. Zum Schluss das Kind am ganzen
Körper kitzeln.

Jetzt krabbelt
ein Mäuslein

Jetzt krabbelt ein Mäuslein,
es will in das Häuslein.
Das Mäuslein macht „piep"!
Ich hab dich so lieb!

Mit zwei Fingern den Arm des Kindes
bis zum Hals hinauflaufen; bei „piep"
am Ohr kraulen

Ein Vogel wollte Hochzeit machen

Strophe

Ein Vo-gel woll-te Hoch-zeit ma-chen in dem grü-nen Wal - de.

Refrain

Fi-di-ral - la - la, fi-di-ral - la-la, fi-di-ral - la - la - la - la!

Text und Melodie: Volkslied aus Schlesien (16. Jahrh.)

1. Ein Vogel wollte Hochzeit machen
in dem grünen Walde.

   Refrain: Fidirallala, fidirallala, fidirallalalala!

2. Die Drossel war der Bräutigam,
die Amsel war die Braute.

   Refrain: Fidirallala …

3. Der Sperber, der Sperber,
das war der Brautwerber.

   Refrain: Fidirallala …

4. Die Lerche, die Lerche,
die führt' die Braut zur Kerche.

   Refrain: Fidirallala …

5. Der Auerhahn, der Auerhahn,
der war der Küster und Kaplan.

   Refrain: Fidirallala …

6. Die Meise, die Meise,
die sang das Kyrieleise.

   Refrain: Fidirallala …

7. Der Geier, der Geier,
der spielte auf der Leier.

   Refrain: Fidirallala …

8. Der Sperling, der Sperling,
der gab der Braut den Fingerring.

   Refrain: Fidirallala …

9. Frau Nachtigall, Frau Nachtigall,
die sang mit ihrem schönsten Schall.

   Refrain: Fidirallala …

10. Der Seidenschwanz, der Seidenschwanz,
der bracht' der Braut den Hochzeitskranz.

    Refrain: Fidirallala …

11. Der Kuckuck kocht' das Hochzeitsmahl,
fraß selbst die besten Brocken all.

    Refrain: Fidirallala …

50

12. Der schwarze Rab, das war der Koch,
    das sah man an dem Kleide noch.

    Refrain: Fidirallala …

13. Der Grünspecht, der Grünspecht,
    das war des Küchenmeisters Knecht.

    Refrain: Fidirallala …

14. Die Finken, die Finken,
    die gaben der Braut zu trinken.

    Refrain: Fidirallala …

15. Der Wiedehopf, der Wiedehopf,
    der bracht' nach dem Mahl den Kaffeetopf.

    Refrain: Fidirallala …

16. Die Elster, die ist schwarz und weiß,
    die bracht' der Braut die Hochzeitsspeis.

    Refrain: Fidirallala …

17. Der Storch mit seinem Schnabel,
    der brachte Messer und Gabel.

    Refrain: Fidirallala …

18. Die Gänse und die Anten,
    das waren die Musikanten.

    Refrain: Fidirallala …

19. Der Pfau mit seinem bunten Schwanz
    tat mit der Braut den ersten Tanz.

    Refrain: Fidirallala …

20. Der Fasan, der Fasan,
    der fing dann auch bald Händel an.

    Refrain: Fidirallala …

21. Die Greife, die Greife,
    die spielten auf der Pfeife.

    Refrain: Fidirallala …

22. Frau Kratzefuß, Frau Kratzefuß,
    gab allen einen Abschiedskuss.

    Refrain: Fidirallala …

23. Brautmutter war die Eule,
    nahm Abschied mit Geheule.

    Refrain: Fidirallala …

24. Die Taube, die Taube,
    die bracht' der Braut die Haube.

    Refrain: Fidirallala …

25. Die Fledermaus, die Fledermaus,
    die zog der Braut die Strümpfe aus.

    Refrain: Fidirallala …

26. Der Uhu, der Uhu,
    der macht' die Fensterläden zu.

    Refrain: Fidirallala …

27. Der Hahn, der krähte: „Gute Nacht!"
    Jetzt wird die Kammer zugemacht.

    Refrain: Fidirallala …

28. Nun ist die Vogelhochzeit aus,
    und alle ziehn vergnügt nach Haus.

    Refrain: Fidirallala …

Die Fischlein

Lustig im klaren Bächlein
spielen die kleinen Fischlein,
sie schwimmen
darinnen herum,
bald sind sie grad,
bald sind sie krumm,
aber immer sind die Fischlein stumm.

*Mit beiden Händen werden Wellenbewegungen
des „Bächleins" nachgeahmt. Die Fischlein
werden durch Aneinanderlegen der Hände
gebildet. Beim Sprechen des Textes werden
die Hände schlängelnd vorwärts bewegt.*

Suse, liebe Suse

Suse, liebe Suse, was raschelt im Stroh?
Die Gänslein gehen barfuß
und haben keine Schuh.
Der Schuster hat's Leder,
kein Leisten dazu,
drum kann er den Gänslein
auch machen keine Schuh.

Fünf Schweinchen

Fünf Schweinchen kommen gelaufen,
der Bauer will sie verkaufen:
das Schnüffelnäschen,
das Wackelöhrchen,
das Kugelränzchen,
das Ringelschwänzchen.
Da ruft das kleine Wackelbein:
„Kommt, wir gehen alle heim!"

*Die fünf Finger einer Hand laufen als
Schweinchen über den Arm oder über den
Tisch. Bei der Benennung der Schweinchen
der Reihe nach die Finger einer Hand mit
dem Zeigefinger der anderen Hand antippen.*

Kommt ein Mäuslein

Kommt ein Mäuslein,
baut ein Häuslein,
kommt ein Mücklein,
baut ein Brücklein,
kommt ein Floh,
und der macht es so!

*Die rechte Hand („Mäuslein") krabbelt über
den Arm des Kindes. Dann mit beiden Händen
ein Haus darstellen. Mit zartem Krabbeln
folgt das „Mücklein". Die „Brücke" bilden
beide Hände, die Fingerspitzen waagrecht
aneinander gelegt. Die „Floh"-Hand springt
auf dem Kind herum.*

Fünf Hündchen

Fünf Hündchen hat der Franz:
Eins wedelt mit dem Schwanz.
Eins geht, wickel, wackel,
das ist des Fränzchens Dackel.

Das ist der Spitz, der brave,
der hütet ihm die Schafe.
Eins hält in dunkler Nacht
auf Fränzchens Hofe Wacht.

Und eins, das liebe Kleine,
führt Fränzchen an der Leine.

*Die fünf „Hunde" sind die Finger
der linken Hand. Mit dem Zeigfinger
der rechten wird jeder einzelne,
dem Text entsprechend, gezeigt.
Die Fingerspitze des kleinen Fingers
wird bei der letzten Zeile mit dem
Daumen und dem Zeigefinger
der rechten Hand angefasst
und „geführt".*

Muh, muh, muh

Muh, muh, muh,
so ruft im Stall die Kuh.
Sie gibt uns Milch und Butter,
wir geben ihr das Futter.
Muh, muh, muh,
so ruft im Stall die Kuh.

Es war einmal
ein Schaf

Es war einmal ein Schaf,
das Schaf, das ward geschoren,
da hat das Schaf gefroren.
Da zog ein guter Mann
ihm seinen Mantel an.
Jetzt braucht's nicht mehr zu frieren,
kann froh herumspazieren.

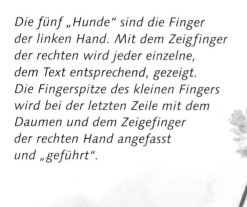

Alle Vögel sind schon da

Al - le Vö - gel sind schon da, al - le Vö - gel, al - le!

Welch ein Sin - gen, Mu - si - ziern, Pfei - fen, Zwit-schern, Ti - ri - liern!

Früh - ling will nun ein - mar - schiern, kommt mit Sang und Schal - le.

Text: Heinrich Hoffmann v. Fallersleben (1798–1874)
Melodie: Volkslied aus Schlesien

1. Alle Vögel sind schon da, alle Vögel, alle!
   Welch ein Singen, Musiziern, Pfeifen, Zwitschern, Tiriliern!
   Frühling will nun einmarschiern, kommt mit Sang und Schalle.

2. Wie sie alle lustig sind, flink und froh sich regen!
   Amsel, Drossel, Fink und Star und die ganze Vogelschar
   wünschen dir ein frohes Jahr, lauter Heil und Segen.

3. Was sie uns verkünden nun, nehmen wir zu Herzen:
   Wir auch wollen lustig sein, lustig wie die Vögelein,
   hier und dort, feldaus, feldein, singen, springen, scherzen.

Frau Schwalbe
ist 'ne Schwätzerin

Frau Schwal-be ist 'ne Schwät-ze-rin, sie schwatzt den gan-zen Tag,

sie plau-dert mit der Nach-ba-rin, so viel sie plau-dern mag.

Das zwit - schert, das zwat - schert den lie-ben lan-gen Tag.

Text: Georg Christian Dieffenbach
Melodie: Karl August Kern

1. Frau Schwalbe ist 'ne Schwätzerin,
   sie schwatzt den ganzen Tag,
   sie plaudert mit der Nachbarin,
   so viel sie plaudern mag.
   Das zwitschert, das zwatschert
   den lieben langen Tag.

2. Sie schwatzt von ihren Eiern viel,
   von ihren Kindern klein,
   und wenn sie niemand hören will,
   schwatzt sie für sich allein.
   Das zwitschert, das zwatschert
   und kann nicht stille sein.

3. Hat sie im Herbst Gesellschaft gar
   auf jenem Dache dort,
   so schwatzen die Frau Schwalben all
   erst recht in einem fort.
   Das zwitschert, das zwatschert
   und man versteht kein Wort.

Kuckuck, ruft's aus dem Wald

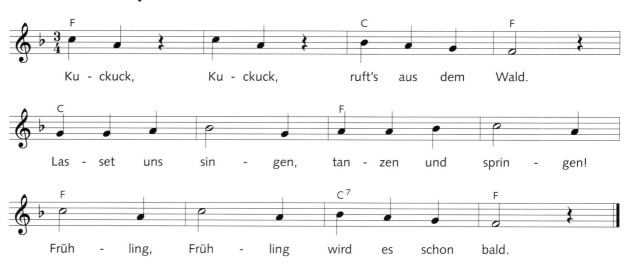

Ku - ckuck, Ku - ckuck, ruft's aus dem Wald.

Las - set uns sin - gen, tan - zen und sprin - gen!

Früh - ling, Früh - ling wird es schon bald.

Text: Heinrich Hoffmann v. Fallersleben (1798–1874)
Melodie: Volkslied aus Österreich

1. Kuckuck, Kuckuck, ruft's aus dem Wald.
   Lasset uns singen, tanzen und springen!
   Frühling, Frühling wird es schon bald.

2. Kuckuck, Kuckuck, lässt nicht sein Schrein:
   „Komm in die Felder, Wiesen und Wälder!
   Frühling, Frühling, stelle dich ein!"

3. Kuckuck, Kuckuck, trefflicher Held!
   Was du gesungen, ist dir gelungen:
   Winter, Winter räumet das Feld!

Der Kuckuck und der Esel

Der Ku-ckuck und der E-sel, die hat-ten ei-nen Streit, wer__

wohl am bes-ten sän-ge, wer__ wohl am bes-ten sän-ge zur

schö-nen Mai-en-zeit,_____ zur schö-nen Mai-en-zeit.

Text: Heinrich Hoffmann v. Fallersleben (1798–1874)
Melodie: Carl Friedrich Zelter (1758–1832)

1. Der Kuckuck und der Esel,
   die hatten einen Streit,
   wer wohl am besten sänge,
   wer wohl am besten sänge
   zur schönen Maienzeit,
   zur schönen Maienzeit.

2. Der Kuckuck sprach: Das kann ich!,
   und fing gleich an zu schrein.
   Ich aber kann es besser,
   ich aber kann es besser!,
   fiel gleich der Esel ein,
   fiel gleich der Esel ein.

3. Das klang so schön und lieblich,
   so schön von fern und nah.
   Sie sangen alle beide,
   sie sangen alle beide:
   Kuckuck, kuckuck, iah!
   Kuckuck, kuckuck, iah!

57

Der bellt wie ein Hündchen

Der bellt wie ein Hündchen.
Der quiekt wie ein Schweinchen.
Der brummt wie ein Bär.
Der piepst wie ein Mäuschen.
Der schnurrt wie ein Kätzchen.
Da lacht mein Schätzchen.

Die Ziege

Die Ziege lief den Berg hinauf
und wackelt mit dem Bärtchen,
da sprang ein kleiner Schneider drauf
und meint, es wär ein Pferdchen.

Miau macht die Katze

Miau macht die Katze;
iah macht der Esel;
wau-wau macht der Hund;
ch-ch macht das Schwein.
Jetzt krabbelt die Maus
in dein Hemdchen hinein.

Kind am Hals kitzeln.

Ein weißes Zicklein

Ein weißes Zicklein
geht auf ein Brücklein.
Da kommt ein Mücklein
und pikt das Zicklein.
Es purzelt vom Brücklein
Und schreit: mäh-mäh!

*Zeige- und Mittelfinger des Kindes
spazieren über die Hand der Mutter
(oder des Spielpartners). Bei „Mücklein"
wird das Kind leicht in den Handrücken
gezwickt und die Hand fällt herab.*

Lügenmärchen

Eine Kuh, die saß im Schwalbennest
mit sieben jungen Ziegen,
die feierten ihr Jubelfest
und fingen an zu fliegen.
Der Esel zog Pantoffeln an,
ist übers Haus geflogen,
und wenn es nicht die Wahrheit ist,
so ist es doch gelogen.

Gustav Falke

Dunkel war's

Dunkel war's, der Mond schien helle,
Schnee lag auf der grünen Flur,
als ein Wagen blitzeschnelle
langsam um die Ecke fuhr.

Drinnen saßen stehend Leute,
schweigend ins Gespräch vertieft,
als ein totgeschossner Hase
auf der Sandbank Schlittschuh lief.

Und ein blond gelockter Jüngling
mit kohlrabenschwarzem Haar
saß auf einer blauen Kiste,
die rot angestrichen war.

Hopp, hopp, hopp

Hopp, hopp, hopp, Pferd-chen, lauf Ga-lopp!

Ü-ber Stock und ü-ber Stei-ne, a-ber brich dir nicht die Bei-ne,

im-mer im Ga-lopp, hopp, hopp, hopp, hopp, hopp!

Text: Carl Hahn
Melodie: Carl Gottlieb Hering (1766–1853)

1. Hopp, hopp, hopp,
   Pferdchen lauf Galopp!
   Über Stock und über Steine,
   aber brich dir nicht die Beine,
   immer im Galopp,
   hopp, hopp, hopp, hopp, hopp!

2. Tipp, tipp, tapp,
   wirf mich ja nicht ab!
   Zähme deine wilden Triebe,
   Pferdchen, tu es mir zuliebe,
   wirf mich ja nicht ab!
   Tipp, tipp, tipp, tipp, tapp!

3. Brr, brr, he,
   steh doch, Pferdchen, steh!
   Sollst noch heute weiterspringen,
   muss dir doch erst Futter bringen,
   steh doch, Pferdchen, steh,
   brr, brr, brr, brr, he!

4. Ja, ja, ja,
   wir sind wieder da!
   Schwester, Vater, liebe Mutter,
   findet auch mein Pferdchen Futter?
   Ja, ja, ja, ja, ja,
   wir sind wieder da!

Hopp, hopp, hopp zu Pferde

Hopp, hopp, hopp zu Pferde
wir reiten um die Erde.
Die Sonne reitet hintendrein,
wie wird sie abends müde sein.
Hopp, hopp, hopp!

Ponypferd macht trippeltrapp

Ponypferd macht trippeltrapp,
wirft den kleinen Reiter ab.
Reiter steigt gleich wieder auf,
Pferdchen lauf, Pferdchen lauf.

*Das Kind sitzt auf den Knien, wird
heruntergesetzt, wieder hochgehoben,
und das Spiel beginnt von vorn.*

Hoppe, hoppe, Reiter

Hoppe, hoppe, Reiter,
wenn er fällt, dann schreit er.
Fällt er in den Graben,
fressen ihn die Raben.
Fällt er in den Sumpf,
macht der Reiter plumps.

Hoppe, hoppe, Reiter,
wenn er fällt, dann schreit er!
Fällt er auf die Steine,
tun ihm weh die Beine.
Fällt er in den Sumpf,
macht der Reiter plumps!

Hoppe, hoppe, Reiter,
wenn er fällt, dann schreit er!
Fällt er in die Hecken,
fressen ihn die Schnecken.
Fällt er in den Sumpf,
macht der Reiter plumps!

Heute will mein Kindchen reiten

Heute will mein Kindchen reiten
in die weite Welt hinein.
Pferdchen trippelt – Pferdchen trappelt,
wie mein Kind vor Freude zappelt;
zappelt fröhlich – zappelt munter,
plötzlich fällt's vom Pferdchen runter.

Häschen in der Grube

Häs - chen in der Gru - be sitzt und schläft.

Ar - mes Häs - chen bist du krank, dass du nicht mehr hüp - fen kannst?

Häs - chen hüpf! Häs - chen hüpf! Häs - chen hüpf!

Text und Melodie: Volkslied

1. Häschen in der Grube sitzt und schläft.
   Armes Häschen, bist du krank,
   dass du nicht mehr hüpfen kannst?
   Häschen, hüpf! Häschen, hüpf!
   Häschen, hüpf!

2. Häschen, vor dem Hunde hüte dich!
   Er hat einen scharfen Zahn,
   packt damit mein Häschen an.
   Häschen, lauf! Häschen, lauf!
   Häschen, lauf!

Klein Häschen wollt spazieren gehen

Klein— Häs-chen wollt spa-zie-ren gehn, spa-zie-ren ganz al-lein,

da— hat's das Bäch-lein nicht ge-sehn und plumps fiel es hi-nein.

Text: Heinrich von Leipziger
Melodie: Asmus

1. Klein Häschen wollt spazieren gehn,
   spazieren ganz allein,
   da hat's das Bächlein nicht gesehn
   und plumps fiel es hinein.

2. Das Bächlein trieb's dem Tale zu,
   dort wo die Mühle steht
   und wo sich ohne Rast und Ruh
   das große Mühlrad dreht.

3. Ganz langsam drehte sich das Rad,
   fest hielt's der kleine Has
   und als er endlich oben war,
   sprang er vergnügt ins Gras.

4. Dann läuft Klein Häschen schnell nach Haus,
   vorbei ist die Gefahr.
   Die Mutter schüttelt's Fell ihm aus,
   bis dass es trocken war.

Kater Graufell

Kater Graufell kam gegangen,
wollt ein kleines Mäuschen fangen.
Krumm schlich Graufell in den Garten,
im Gebüsch, da wollt er warten.

Vieles gab es da zu sehen.
Kater blieb im Grase stehen.
Kurz vor Graufell macht' es „muh".
Vor ihm stand die große Kuh.

Katerchen erhob die Tatzen.
Wollt die Kuh er etwa kratzen?
Grüßen wollte er sie schnell,
die Kuh jedoch ging von der Stell.

Graufell schlich in seine Kammer
ohne Mäuschen, welch ein Jammer!
Musste sich was andres suchen,
fand zum Glück ein Stückchen Kuchen.

Kuschelt' sich ins Kissen fein,
schnurrt' behaglich und schlief ein.

Mit der rechten Hand „Kater Graufell" gestalten:
Mittelfinger und Ringfinger drücken den einge-
bogenen Daumen an die Handfläche, Zeigefinger
und kleiner Finger bleiben leicht gekrümmt. Die
rechte Hand in dieser Stellung an der Tischkante
entlangführen (schleichen).

Katzen können Mäuse fangen

Katzen können Mäuse fangen,
haben Krallen wie die Zangen,
kriechen über Boden und Dächer
und manchmal auch durch Mauselöcher.

Mäuslein stehlen, naschen Speck,
sehn die Katz nicht im Versteck.
Leise, leise kommt die Katze –
fängt die Maus mit einem Satze!

Die Finger einer Hand sind die Mäuschen, die
auf dem Handrücken eines anderen Kindes he-
rumtanzen. Zuletzt kommt die Katze (Hand des
anderen Kindes) und schnappt die Mäuschen
und die Hand des Partners dazu.

Komm, wir spielen Katz und Maus

Komm, wir spielen Katz und Maus,
eine Hand, die ist das Haus,
andre Hand, die ist die Katze,
schleicht mit ihren weichen Tatzen
um des Mäuschens kleines Haus.
Mäuschen guckt zum Fenster raus.
Ei, da springt mit einem Satze
Unsere große Miezekatze
auf das kleine Häuschen zu.
Mäuschen fragt:
„Wo bist denn du?"

*Eine Hand wird zur Faust geballt (Haus).
Der Daumen (das Mäuschen) ist in die
Faust gezogen, die Finger der anderen
Hand sind die „Katze" und ahmen behut-
sam das „Schleichen" nach. Entsprechend
dem Text wird der Daumen ein wenig
durch die Finger der Faust gestreckt und
danach schnell wieder zurückgezogen.*

In unserem Häuschen

In unserem Häuschen
gibt's sehr viele Mäuschen.
Sie kribbeln und krabbeln,
sie zippeln und zappeln.
Sie gehen auf den Tisch,
auf Stühle,
auf Bänke
und in die Schränke.
Doch willst du sie fangen,
springen sie flink von dannen.

Heinrich Hoffmann von Fallersleben

*Die Finger wie flinke Mäusepfötchen über
den Körper des Kindes laufen lassen und
zum Schluss die Hände schnell hinter dem
Rücken verstecken.*

Fünf Mäuschen

Fünf kleine Mäuschen
spitzen ihre Öhrchen,
wackeln mit den Schwänzchen.
Kommt der Kater Muck:
husch!
Fort springen alle Mäuschen:
*Schlack, schleck,
schlick, schlock, schluck!*

*Fünf Finger zeigen, mit dem Zeigefinger die
Bewegung des Ohrenspitzens andeuten, Hände
zusammenlegen, „Schwänzchen" andeuten.
Rechte Hand ist „Kater Muck". Bei jedem
kursiv gedruckten Wort einen Finger beugen.
Zuletzt die Hand hinter dem Rücken verstecken.*

Ein Schneider fing 'ne Maus

Text und Melodie: Volkslied

Ein Schnei-der fing 'ne Maus. Ein Schnei-der fing 'ne Maus.

Ein Schnei-der fing 'ne Mi - Ma - Maus, Mi - Ma - Mau - se - maus.

Ein Schnei - der fing 'ne Maus.

1. Ein Schneider fing 'ne Maus.
   Ein Schneider fing 'ne Maus.
   Ein Schneider fing 'ne Mi-Ma-Maus,
   Mi-Ma-Mause-Maus.
   Ein Schneider fing 'ne Maus.

2. Was macht er mit der Maus?
   Was macht er mit der Maus?
   Was macht er mit der Mi-Ma-Maus,
   Mi-Ma-Mause-Maus?
   Was macht er mit der Maus?

3. Er zieht ihr ab das Fell.
   Er zieht ihr ab das Fell.
   Er zieht ihr ab das Mausefell,
   Mi-Ma-Mausefell.
   Er zieht ihr ab das Fell.

4. Was macht er mit dem Fell?
   Was macht er mit dem Fell?
   Was macht er mit dem Mausefell?
   Mi-Ma-Mausefell?
   Was macht er mit dem Fell?

5. Er näht sich einen Sack.
   Er näht sich einen Sack.
   Er näht sich einen Mausesack.
   Mi-Ma-Mausesack.
   Er näht sich einen Sack.

6. Was macht er mit dem Sack?
   Was macht er mit dem Sack?
   Was macht er mit dem Mausesack,
   Mi-Ma-Mausesack?
   Was macht er mit dem Sack?

7. Er tut hinein sein Geld.
   Er tut hinein sein Geld.
   Er tut hinein sein Mausegeld,
   Mi-Ma-Mausegeld.
   Er tut hinein sein Geld.

8. Was macht er mit dem Geld?
   Was macht er mit dem Geld?
   Was macht er mit dem Mausegeld,
   Mi-Ma- Mausegeld?
   Was macht er mit dem Geld?

9. Er kauft sich einen Bock.
   Er kauft sich einen Bock.
   Er kauft sich einen Mausebock,
   Mi-Ma-Mausebock.
   Er kauft sich einen Bock.

10. Was macht er mit dem Bock?
    Was macht er mit dem Bock?
    Was macht er mit dem Mausebock,
    Mi-Ma-Mausebock?
    Was macht er mit dem Bock?

11. Er reitet durch die Welt.
    Er reitet durch die Welt.
    Er reitet durch die Mausewelt,
    Mi-Ma-Mausewelt.
    Er reitet durch die Welt.

12. Was macht er in der Welt?
    Was macht er in der Welt?
    Was macht er in der Mausewelt,
    Mi-Ma-Mausewelt?
    Was macht er in der Welt?

13. Er wird ein großer Held.
    Er wird ein großer Held.
    Er wird ein großer Mauseheld,
    Mi-Ma-Mauseheld.
    Er wird ein großer Held.

Ich bin das ganze Jahr vergnügt

Lieder und Reime für jede Jahreszeit

Ich bin das ganze Jahr vergnügt

Ich bin das gan-ze Jahr ver-gnügt; im Früh-ling wird das Feld ge-pflügt. Dann

steigt die Ler-che hoch em-por und singt ihr fro-hes Lied mir vor.
singt ihr fro-hes Lied mir vor und

Text: nach Christian Friedrich Schubart (1739–1791)
Melodie: Volkslied

1. Ich bin das ganze Jahr vergnügt;
   im Frühling wird das Feld gepflügt.
   Dann steigt die Lerche hoch empor
   und singt ihr frohes Lied mir vor.

2. Und kommt die liebe Sommerzeit;
   wie hoch ist da mein Herz erfreut,
   wenn ich vor meinem Acker steh
   und so viel tausend Ähren seh!

3. Rückt endlich Erntezeit heran,
   dann muss die blanke Sense dran;
   dann zieh ich in das Feld hinaus
   und schneid und fahr die Frucht nach Haus.

4. Im Herbst schau ich die Bäume an,
   seh Äpfel, Birnen, Pflaumen dran.
   Und sind sie reif, so schüttl ich sie.
   So lohnet Gott des Menschen Müh!

5. Und kommt die kalte Winterszeit,
   dann ist mein Häuschen überschneit;
   das ganze Feld ist kreideweiß
   und auf der Wiese nichts als Eis.

6. So geht's jahraus, jahrein mit mir;
   ich danke meinem Gott dafür
   und habe immer frohen Mut
   und denke: Gott macht alles gut.

Es war eine Mutter, die hatte vier Kinder

Es war ei - ne Mut - ter, die hat - te vier Kin - der, den

Früh - ling, den Som - mer, den Herbst und den Win - ter.

Text und Melodie: Volkslied aus Baden und der Pfalz

1. Es war eine Mutter, die hatte vier Kinder,
   den Frühling, den Sommer, den Herbst und den Winter.

2. Der Frühling bringt Blumen, der Sommer den Klee,
   der Herbst, der bringt Trauben, der Winter den Schnee.

3. Und wie sie sich schwingen im Jahresreihn,
   so tanzen und singen wir fröhlich darein.

Und wer im Januar geboren ist

Und wer im Ja-nu-ar ge-bo-ren ist, tritt ein, tritt ein, tritt ein.

Er macht im Kreis ei-nen tie-fen Knicks, ei-nen tie-fen, tie-fen Knicks.

Kind-chen, dreh dich, Kind-chen, dreh dich, hei, hopp-sas-sas-sa.

Text und Melodie: Volkslied

1. Und wer im Januar geboren ist, tritt ein, tritt ein, tritt ein.
   Er macht im Kreis einen tiefen Knicks, einen tiefen, tiefen Knicks.
   Kindchen, dreh dich, Kindchen, dreh dich, hei, hoppsassassa!

2. Und wer im Februar geboren ist …

3. Und wer im März geboren ist …

4. Und wer im April geboren ist …

5. Und wer im Mai geboren ist …

6. Und wer im Juni geboren ist …

7. Und wer im Juli geboren ist …

8. Und wer im August geboren ist …

9. Und wer im September geboren ist …

10. Und wer im Oktober geboren ist …

11. Und wer im November geboren ist …

12. Und wer im Dezember geboren ist …

Tief in der Erde

Tief in der Erde, vom Schnee bedeckt,
hat Schneeglöckchen sich gut versteckt.
Still liegt es drin, hat die Augen zu
und schlummert schon lange in guter Ruh.

Da scheint die Sonne, es regnet sacht,
da hat das Schneeglöckchen bei sich gedacht:
Dort auf der Erde im Sonnenschein,
da möchte ich wieder ein Blümlein sein.

Schneeglöckchen reckt sich und guckt aus dem Beet,
ei, wie fest es auf seinem Beinchen steht.
Seht ihr das Blümlein, das zarte, da?
Guck, guck, Schneeglöckchen, da bist du ja!

Bei „tief" nach unten zeigen; für den „Schnee"
die Hände übereinander legen. „Sonne": Arme
über dem Kopf kreuzen. Bei „regnet" mit den
Fingerspitzen auf die Tischplatte trommeln.
Durchstoßen des Keims nachahmen: Finger
einer Hand durch gespreizte andere stecken.
Freudige Bewegung am Schluss: klatschen.

Der Frühling ist 'kommen

Der Frühling ist 'kommen,
der Frühling ist da!
Wir freuen uns alle,
jucheirassassa!

Es singen die Vögel
von fern und von nah:
Der Frühling ist 'kommen,
der Frühling ist da!

Hei lustig, ihr Kinder, vorbei ist der Winter

Hei, lus - tig, ihr Kin - der! Vor - bei ist der Win - ter!

Die Son - ne er - wacht; das Blü - me - lein lacht.

Text und Melodie: Volkslied

1. Hei, lustig, ihr Kinder,
vorbei ist der Winter!
Die Sonne erwacht;
das Blümelein lacht.

2. Die Vögelein singen;
die Knospen aufspringen.
Der Himmel ist blau
und grün ist die Au.

3. Hei, lustig, ihr Kinder!
Vorbei ist der Winter
und fort ist der Schnee.
Herr Winter, ade!

Jetzt fängt das schöne Frühjahr an

Jetzt fängt das schö - ne Früh - jahr an, und al - les fängt zu blü - hen an auf grü - ner Heid und ü - ber - all.

Text und Melodie: Volkslied aus Franken und dem Rheinland

1. Jetzt fängt das schöne Frühjahr an
   und alles fängt zu blühen an
   auf grüner Heid und überall.

2. Es blühen Blümlein auf dem Feld,
   sie blühen weiß, blau, rot und gelb,
   es gibt nichts Schöners auf der Welt.

3. Jetzt geh ich über Berg und Tal,
   da hört man schon die Nachtigall
   auf grüner Heid und überall.

Im Märzen der Bauer

Im Mär - zen der Bau - er die Röss - lein ein - spannt;
er setzt sei - ne Fel - der und Wie - sen in - stand.

Er pflü - get den Bo - den, er eg - get und sät

und rührt sei - ne Hän - de früh - mor - gens und spät.

Text und Melodie: Volkslied aus Mähren

1. Im Märzen der Bauer die Rösslein einspannt;
   er setzt seine Felder und Wiesen instand.
   Er pflüget den Boden, er egget und sät
   und rührt seine Hände frühmorgens und spät.

2. Die Bäurin, die Mägde, sie dürfen nicht ruhn;
   sie haben im Haus und im Garten zu tun:
   Sie graben und rechen und singen ein Lied
   und freun sich, wenn alles schön grünet und blüht.

3. So geht unter Arbeit das Frühjahr vorbei,
   da erntet der Bauer das duftende Heu;
   er mäht das Getreide, dann drischt er es aus;
   im Winter, da gibt es manch fröhlichen Schmaus.

Unterm Baum im grünen Gras

Unterm Baum im grünen Gras
sitzt ein kleiner Osterhas.
Putzt den Bart und spitzt das Ohr,
macht ein Männchen, guckt hervor.
Springt dann fort mit einem Satz
und ein kleiner frecher Spatz
schaut jetzt nach, was denn dort sei.
Und was ist's? Ein Osterei!

Fünf Männlein

Fünf Männlein sind in den Wald gegangen,
die wollten den Osterhasen fangen.
Der erste, der war so dick wie ein Fass,
der brummte immer:
„Wo ist der Has, wo ist der Has?"
Der zweite, der schrie:
„Da! Da sitzt er ja, da sitzt er ja!"
Der dritte, der Längste,
aber auch der Bängste.
Der fing an zu weinen:
„Ich sehe keinen, ich sehe keinen!"
Sprach der Vierte: „Das ist mir zu dumm,
ich kehre wieder um!"
Der Kleinste aber, wer hätte das gedacht?
Der hat's gemacht,
der hat den Hasen nach Hause gebracht.
Da haben alle Leute gelacht:
„Ha-ha-ha-ha!"

Adolf Holst

*Die Finger der linken Hand sind die „Männlein".
Mit dem Zeigefinger der rechten Hand wird, beim
Daumen beginnend, auf die einzelnen Finger gezeigt. Das Fingerspiel wird sehr lustig, wenn man
bei jedem Männlein die Stimme verändert oder
auf jeden Finger ein Papierhütchen setzt.*

Has, Has, Osterhas

Has, Has, Osterhas,
wir möchten nicht mehr warten!
Der Krokus und das Tausendschön,
Vergissmeinnicht und Tulpe stehn
schon lang in unserm Garten.

Has, Has, Osterhas,
mit deinen bunten Eiern!
Der Has lugt aus dem Kasten raus,
Blühkätzchen sitzen um sein Haus.
Wann kommst du Frühling feiern.

Has, Has, Osterhas,
ich wünsche mir das Beste:
ein großes Ei, ein kleines Ei
und ein lustiges Dideldumdei,
alles in einem Neste!

Osterhäschen

Osterhäschen, groß und klein,
tummeln sich am Wiesenrain,
müssen tanzen, hopsen, lachen
und mitunter Männchen machen.
Heute wollen wir noch springen
und den Kindern Eier bringen:
rote, gelbe, braune, graue,
bunte, grüne, himmelblaue.
Keiner kriegt was, der uns sieht:
Das ist unser Hasenlied.

Summ, summ, summ

Summ, summ, summ, Bien-chen, summ he-rum!

Ei, wir tun dir nichts zu-lei-de, flieg nur aus in Wald und Hei-de!

Summ, summ, summ, Bien-chen summ he-rum!

Text: Heinrich Hoffmann v. Fallersleben (1798–1874)
Melodie: Volkslied aus Böhmen

1. Summ, summ, summ, Bienchen, summ herum!
   Ei, wir tun dir nichts zuleide,
   flieg nur aus in Wald und Heide!
   Summ, summ, summ, Bienchen, summ herum!

2. Summ, summ, summ, Bienchen, summ herum!
   Such in Blumen, such in Blümchen,
   dir ein Tröpfchen, dir ein Krümchen!
   Summ, summ, summ, Bienchen, summ herum!

3. Summ, summ, summ, Bienchen, summ herum!
   Kehre heim mit reicher Habe,
   bau uns manche volle Wabe!
   Summ, summ, summ, Bienchen, summ herum!

Erst kommt der Sonnenkäferpapa

Erst kommt der Sonnenkäferpapa,
dann kommt die Sonnenkäfermama!
Und hinterdrein, ganz klitzeklein,
die Sonnenkäferkinderlein.

Sie haben rote Röckchen an
mit kleinen schwarzen Pünktchen dran.
So machen sie den Sonntagsgang
auf unserer Gartenbank entlang.

Erst kommt der Sonnenkäferpapa,
dann kommt die Sonnenkäfermama!
Und hinterdrein, ganz klitzeklein,
die Sonnenkäferkinderlein.

*Daumen und Zeigefinger der rechten Hand sind
die Sonnenkäfereltern, die Finger der linken Hand
die Sonnenkäferkinder. Die Finger der rechten Hand
auf dem Tisch „spazieren gehen" lassen oder damit
langsam am Arm eines Kindes hinaufkrabbeln.*

Liebe Sonne, komm heraus

Liebe Sonne, komm heraus,
komm aus deinem Wolkenhaus!
Schick den Regen weiter,
mach den Himmel heiter!
Liebe Sonne, komm heraus,
komm aus deinem Wolkenhaus!

Im Sommer

Im Sommer, im Sommer,
das ist die schönste Zeit,
da singen und springen
die Kinder weit und breit.
Das Hüpfen, das Hüpfen,
das muss man verstehn,
da muss man, da muss man
sich dreimal umdrehn.

Trarira, der Sommer, der ist da

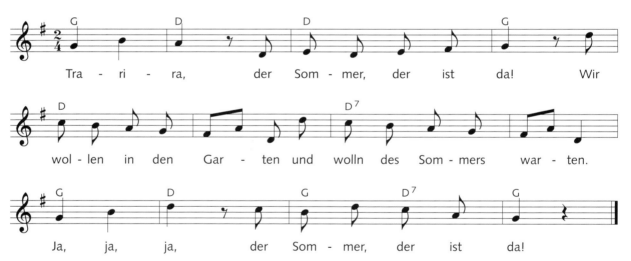

Tra - ri - ra, der Som - mer, der ist da! Wir

wol - len in den Gar - ten und wolln des Som - mers war - ten.

Ja, ja, ja, der Som - mer, der ist da!

1. Trarira, der Sommer, der ist da!
   Wir wollen in den Garten
   und wolln des Sommers warten.
   Ja, ja, ja, der Sommer, der ist da!

Text: Volkslied aus der Rheinpfalz
Melodie: Ludwig Erk (1807–1883)

2. Trarira, der Sommer, der ist da!
   Wir wollen hinter die Hecken
   und wolln den Sommer wecken.
   Ja, ja, ja, der Sommer, der ist da!

3. Trarira, der Sommer, der ist da!
   Der Sommer hat gewonnen,
   der Winter hat verloren.
   Ja, ja, ja, der Sommer, der ist da!

Das Wandern ist des Müllers Lust

Das Wan-dern ist des Mül-lers Lust, das Wan-dern ist des Mül-lers Lust, das Wan -

dern. Das muss ein schlech-ter— Mül - ler sein, dem nie-mals fiel— das—

Wan-dern ein, dem nie-mals fiel das Wan-dern ein, das Wan - dern.

Text: Wilhelm Müller (1794–1827)
Melodie: Carl Friedrich Zöllner (1800–1860)

1. Das Wandern ist des Müllers Lust,
   das Wandern ist des Müllers Lust, das Wandern.
   Das muss ein schlechter Müller sein,
   dem niemals fiel das Wandern ein,
   dem niemals fiel das Wandern ein, das Wandern.

2. Vom Wasser haben wir's gelernt,
   vom Wasser haben wir's gelernt, vom Wasser:
   Das hat nicht Rast bei Tag und Nacht,
   ist stets auf Wanderschaft bedacht,
   ist stets auf Wanderschaft bedacht, das Wasser.

3. Das sehn wir auch den Rädern ab,
   das sehn wir auch den Rädern ab, den Rädern:
   Die gar nicht gerne stille stehn,
   die sich bei Tag nicht müde drehn,
   die sich bei Tag nicht müde drehn, die Räder.

4. Die Steine selbst, so schwer sie sind,
   die Steine selbst, so schwer sie sind, die Steine:
   Sie tanzen mit den muntern Reihn,
   und wollen gar noch schneller sein,
   und wollen gar noch schneller sein, die Steine.

5. Oh Wandern, Wandern, meine Lust,
   oh Wandern, Wandern, meine Lust, oh Wandern!
   Herr Meister und Frau Meisterin,
   lasst mich in Frieden weiterziehn,
   lasst mich in Frieden weiterziehn und wandern!

Hejo! Spann den Wagen an

Kanon zu 3 Stimmen

He - jo! Spann den Wa-gen an, denn der Wind treibt Re-gen ü-bers Land.

Hol die gold-nen Gar - ben, hol die gold-nen Gar - ben!

Hejo! Spann den Wagen an,
denn der Wind treibt Regen übers Land.
Hol die goldnen Garben,
hol die goldnen Garben!

Text und Melodie: Kanon aus England

Es regnet, wenn es regnen will

Kanon zu 4 Stimmen

Es reg - net, wenn es reg - nen will, und reg - net sei - nen Lauf. Und

wenn's ge - nug ge - reg-net hat, so hört es wie - der auf.

Es regnet, wenn es regnen will,
und regnet seinen Lauf.
Und wenn's genug geregnet hat,
so hört es wieder auf.

Text und Melodie: Karl Friedrich Zelter

Mein Häuschen ist nicht ganz grade

Mein Häuschen ist nicht ganz grade,
ist das aber schade!
Mein Häuschen ist ein bisschen krumm,
ist das aber dumm!
Huu – bläst der Wind herein,
bautz – fällt das ganze Häuschen ein!
1, 2, 3, schaut nur, schaut!
Jetzt ist es wieder aufgebaut!

*Mit den Händen ein Dach bilden,
dieses schräg neigen, pusten usw.*

Wie das Fähnchen auf dem Turme

Wie das Fähnchen auf dem Turme
sich kann drehn bei Wind und Sturme,
so soll sich mein Händchen drehn,
dass es eine Lust ist, es anzusehn.

Unser Vogelhaus

Jetzt wird es draußen kalt,
und weißer Schnee fällt bald.
Die Vögel fliegen hin und her
und finden oft kein Futter mehr.

Kommt, bauen wir ein Haus
und streuen darin Futter aus
für unsre liebe Vogelschar,
so wie im vergangnen Jahr.

*Auf das Fenster zeigen, den Schneefall
mit allen Fingern andeuten.
Flügelschwingen mit beiden Armen.
Hände als „Haus" an den Fingerspitzen
schräg aneinander legen.
Das „Streuen" des Futters
nachahmen.*

Sankt Martin

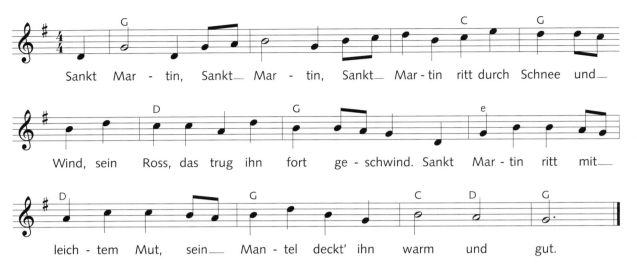

Sankt Mar - tin, Sankt Mar - tin, Sankt Mar - tin ritt durch Schnee und Wind, sein Ross, das trug ihn fort ge - schwind. Sankt Mar - tin ritt mit leich - tem Mut, sein Man - tel deckt' ihn warm und gut.

Text und Melodie: Volkslied aus dem Rheinland

1. Sankt Martin, Sankt Martin,
   Sankt Martin ritt durch Schnee und Wind,
   sein Ross, das trug ihn fort geschwind.
   Sankt Martin ritt mit leichtem Mut,
   sein Mantel deckt' ihn warm und gut.

2. Im Schnee saß, im Schnee saß,
   im Schnee, da saß ein armer Mann,
   hat Kleider nicht, hat Lumpen an.
   „Oh helft mir doch in meiner Not,
   sonst ist der bittre Frost mein Tod!"

3. Sankt Martin, Sankt Martin,
   Sankt Martin zieht die Zügel an,
   das Ross steht still beim armen Mann.
   Sankt Martin mit dem Schwerte teilt
   den warmen Mantel unverweilt.

4. Sankt Martin, Sankt Martin,
   Sankt Martin gibt den halben still,
   der Bettler rasch ihm danken will.
   Sankt Martin aber ritt in Eil
   hinweg mit seinem Mantelteil.

Ich geh mit meiner Laterne

Ich geh mit mei-ner La-ter - ne und mei-ne La-ter - ne mit mir.
Am Him - mel leuch-ten die Ster - ne und un-ten, da leuch - ten wir.

Mein Licht ist aus, wir gehn nach Haus. Ra - bim-mel, ra-bam-mel, ra - bumm.

Text und Melodie: Volkslied aus Holstein

Ich geh mit meiner Laterne
und meine Laterne mit mir.
Am Himmel leuchten die Sterne
und unten, da leuchten wir.
Mein Licht ist aus,
wir gehn nach Haus.
Rabimmel, rabammel, rabumm.

Laterne, Laterne, Sonne, Mond und Sterne

La - ter - ne, La - ter - ne, Son - ne, Mond und Ster - ne. Bren-ne auf, mein

Licht, bren - ne auf, mein Licht, a - ber nur mei-ne lie-be La - ter-ne nicht.

Text und Melodie: Volkslied aus Hamburg

Laterne, Laterne,
Sonne, Mond und Sterne.
Brenne auf, mein Licht,
brenne auf, mein Licht,
aber nur meine liebe Laterne nicht.

Schneeflöckchen, Weißröckchen

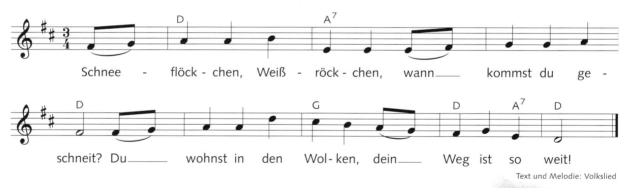

Schnee - flöck - chen, Weiß - röck - chen, wann kommst du ge -

schneit? Du wohnst in den Wol - ken, dein Weg ist so weit!

Text und Melodie: Volkslied

1. Schneeflöckchen, Weißröckchen,
wann kommst du geschneit?
Du wohnst in den Wolken,
dein Weg ist so weit!

2. Komm, setz dich ans Fenster,
du lieblicher Stern,
malst Blumen und Blätter,
wir haben dich gern.

3. Schneeflöckchen, du deckst uns
die Blümelein zu,
dann schlafen sie sicher
in himmlischer Ruh.

4. Schneeflöckchen, Weißröckchen,
komm zu uns ins Tal,
dann baun wir den Schneemann
und werfen den Ball.

Du liebe Zeit!

Du liebe Zeit!
Es schneit, es schneit!
Die Flocken fliegen
und bleiben liegen.
Ach bitte sehr:
noch mehr, noch mehr!

Puck und Pitz

Puck und Pitz, zwei Zwergenleute,
liefen vor ihr Häuschen heute.
Riefen: Seht nur, weit und breit,
es hat geschneit, es hat geschneit!
Die Flocken fallen leicht und sacht!
Jetzt geht es zur Schneeballschlacht!
Den Schneeball werfen Puck und Pitz
sich feste an die Zipfelmütz.
Doch dann kommt der Schlitten dran!
Sie stapfen auf die Rodelbahn.
Hui, geht es hinab ins Tal!
Und so geht es viele, viele Mal.
Auch Schneeschuh laufen Puck und Pitz,
und fallen sie hin, das schadet nix!
Frau Holle aber oben lacht:
„Ja, ja, das hab ich fein gemacht!"

Mit der linken und der rechten Hand werden die Bewegungen der Zwerge nachgeahmt. Bei Zeile 2 werden die Hände flach zum „Häuschen" aneinander gelegt. Bei Zeile 3 Hand über die Augen halten. Das Fallen der Schneeflocken mit den Händen nachahmen; einen Schneeball formen, ihn werfen usw. Bei Zeile 10 am Platz mit den Füßen stampfen, Abfahrt markieren, evtl. einen Arm schräg halten, mit der anderen Hand (Schlitten) hinabfahren. Mit Mittelfinger und Zeigefinger das parallele Laufen auf Skiern nachahmen. Am Schluss in die Hände klatschen.

Lasst uns froh und munter sein

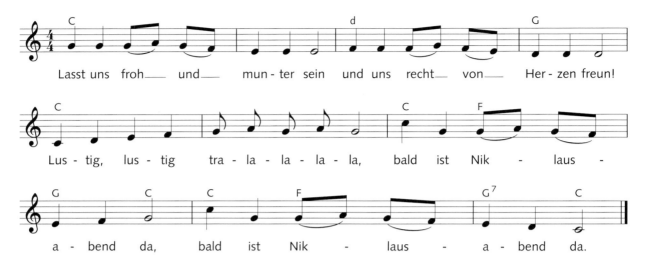

Lasst uns froh und munter sein und uns recht von Her-zen freun!

Lus-tig, lus-tig tra-la-la-la-la, bald ist Nik-laus-

a-bend da, bald ist Nik-laus-a-bend da.

Text und Melodie: Volkslied aus dem Hunsrück

1. Lasst uns froh und munter sein
und uns recht von Herzen freun!
Lustig, lustig, tra-la-la-la-la,
bald ist Niklausabend da,
bald ist Niklausabend da.

2. Dann stell ich den Teller auf,
Niklaus legt gewiss was drauf.
Lustig ...

3. Wenn ich schlaf, dann träume ich:
Jetzt bringt Niklaus was für mich,
Lustig ...

4. Wenn ich aufgestanden bin,
lauf ich schnell zum Teller hin.
Lustig ...

5. Niklaus ist ein guter Mann,
dem man nicht g'nug danken kann.
Lustig ...

Nikolaus, du guter Mann

Nikolaus, du guter Mann,
klopfst an alle Türen an.
Bring mir Nuss und Mandelkern,
das essen alle Kinder gern.

Morgen kommt
der Weihnachtsmann

Morgen kommt der Weihnachtsmann,
kommt mit seinen Gaben.
Puppen, Pferdchen, Sang und Spiel
und auch sonst der Freude viel,
ja, oh welch ein Glücksgefühl,
könnt ich alles haben.

Lieber guter Nikolaus

Lieber guter Nikolaus,
komm doch auch in unser Haus.
Stecke deine Rute ein,
ich will immer artig sein.
Äpfel, Nüss und Pfefferkuchen
möcht ich doch so gern versuchen!

Nikolaus, du guter Gast

Nikolaus, du guter Gast,
hast du mir was mitgebracht?
Hast du was, so setz dich nieder,
hast du nichts, dann geh nur wieder.

Leise rieselt der Schnee

Lei - se rie - selt der Schnee,____ still und starr ruht der See,____

weih - nacht - lich glän - zet der Wald:____ Freu - e dich, Christ - kind kommt bald!____

Text und Melodie: Eduard Ebel

1. Leise rieselt der Schnee,
   still und starr ruht der See,
   weihnachtlich glänzet der Wald:
   Freue dich, Christkind kommt bald!

2. In dem Herzen ist's warm,
   still schweigt Kummer und Harm,
   Sorge des Lebens verhallt:
   Freue dich, Christkind kommt bald!

3. Bald ist Heilige Nacht,
   Chor der Engel erwacht,
   hört nur, wie lieblich es schallt:
   Freue dich, Christkind kommt bald!

Weihnachtliches Fingerspiel

Hier steht ein großer Tannenbaum
mit bunten Lichtlein dran.
Da kommt trapp, trapp der Weihnachtsmann
und steckt die Lichtlein an.
Das Glöcklein tönt ganz leis und sacht,
ruft alle, Groß und Klein.
Die Weihnachtstür wird aufgemacht:
„Ihr Kinder, kommt herein!"
Triangel spielt der Udo gleich,
tütü-tütü-tata.
Und glücklich wiegt im Bettchen weich
ihr Püppchen unsere Monika.
Die Mutti ruft zum Weihnachtsschmaus.
Wer bläst jetzt noch die Kerzen aus?

*Linke Hand ist der „Tannenbaum", fünf Finger sind
die „Kerzen". Das „Trappen" mit den Fingern ausführen.
Hände bei „Glocken" falten, Mittelfinger nach innen
durchstecken und wie einen Glockenschlegel hin und
her bewegen. Triangelspiel entsprechend mit den
Fingern nachahmen, ebenso das Öffnen der Tür,
das Wiegen der Puppe.
Das „Ausblasen" der Kerzen geschieht, indem die
Kinder die Finger einzeln zählen und bewegen,
bis die Faust geschlossen ist.*

Fünf Englein

Fünf Englein haben gesungen,
fünf Englein kommen gesprungen:
Der erste bläst das Feuer an,
der zweite stellt das Pfännlein dran,
der dritte schütt die Suppe rein,
der vierte tut brav Zucker drein,
der fünfte sagt: „'s ist angericht',
iss, mein Kindchen, brenn dich nicht!"

ABC, die Katze lief im Schnee

ABC,
die Katze lief im Schnee.
Und als sie wieder raus kam,
da hat sie weiße Stiefel an.
Ojemine!
Die Katze lief im Schnee.

ABC,
die Katze lief zur Höh!
Sie leckt ihr kaltes Pfötchen rein
und putzt sich auch die Stiefelein
und ging nicht mehr,
ging nicht mehr in den Schnee.

Alle Jahre wieder

Al - le Jah - re wie - der kommt das Chris - tus - kind,

auf die Er - de nie - der, wo wir Men - schen sind.

Text und Melodie: Friedrich Silcher

1. Alle Jahre wieder kommt das Christuskind,
   auf die Erde nieder, wo wir Menschen sind.

2. Kehrt mit seinem Segen ein in jedes Haus,
   geht auf allen Wegen mit uns ein und aus.

3. Ist auch mir zur Seite, still und unerkannt,
   dass es treu mich leite an der lieben Hand.

Oh du fröhliche

Text und Melodie: Volkslied aus Sizilien

Oh du fröh - li - che,— oh du se - li - ge,— gna - den - brin - gen - de

Weih - nachts - zeit! Welt— ging ver - lo - ren, Christ— ist ge -

bo - ren; freu - e,— freu - e dich oh Chris - ten - heit!

1. Oh du fröhliche, oh du selige,
   gnadenbringende Weihnachtszeit!
   Welt ging verloren, Christ ist geboren;
   freue, freue dich, oh Christenheit!

2. Oh du fröhliche, oh du selige,
   gnadenbringende Weihnachtszeit!
   Christ ist erschienen, uns zu versöhnen;
   freue, freue dich, oh Christenheit!

3. Oh du fröhliche, oh du selige,
   gnadenbringende Weihnachtszeit!
   Himmlische Heere jauchzen dir Ehre.
   Freue, freue dich, oh Christenheit!

Der Tag war schön

Gute-Nacht-Lieder und -Verse

Schlaf, Kindchen, schlaf

1. Schlaf, Kind-chen schlaf! Der Va-ter hüt' die Schaf, die

Mut - ter schüt - telt's Bäu - me - lein, da fällt he - rab ein

Träu - me - lein. Schlaf, Kind - chen, schlaf!

Text und Melodie: Volkslied

1. Schlaf, Kindchen, schlaf!
   Der Vater hüt' die Schaf.
   Die Mutter schüttelt's Bäumelein,
   da fällt herab ein Träumelein.
   Schlaf, Kindchen, schlaf!

2. Schlaf, Kindchen, schlaf!
   Am Himmel ziehn die Schaf.
   Die Sternlein sind die Lämmerlein,
   der Mond, der ist das Schäferlein.
   Schlaf, Kindchen, schlaf!

Schlafliedchen

Wenn mein Kind nicht schlafen will,
stehen alle Uhren still,
woll'n sich nicht mehr drehen.

Wenn mein Kind nicht schlafen mag,
will der liebe lange Tag
nicht zu Ende gehen.

Wenn mein Kind nicht schlafen kann,
will der Mond mit seinem Mann
nicht am Himmel stehen.

Wenn mein Kindchen aber ruht,
lüpft der Sandmann seinen Hut
und kann weitergehen.

Richard Bletschacher

In meinem Garten steht ein Bäumchen

In meinem Garten
steht ein Bäumchen,
hängen daran
viel goldene Träumchen.
Aber solange mein Kindchen noch munter,
fällt ihm kein Träumchen vom Bäumchen herunter.
Schlafe, mein Kindchen, schlaf ein.

überliefert

Himpelchen und Pimpelchen

Himpelchen und Pimpelchen
stiegen auf einen Berg.
Himpelchen war ein Heinzelmann
und Pimpelchen war ein Zwerg.
Sie blieben lange dort oben sitzen
und wackelten mit ihren Zipfelmützen.
Doch nach fünfundsiebzig Wochen
sind sie in den Berg gekrochen.
Schlafen dort in guter Ruh.
Sei mal still und hör gut zu:
chrrr, chrrr, chrrr, chrrr.

überliefert

*Die beiden Daumen sind Himpelchen und
Pimpelchen und machen auf der Bettdecke
die Bewegungen nach.*

Zum Däumchen sag ich eins

Zum Däumchen sag ich eins,
zum Zeigefinger zwei,
zum Mittelfinger drei,
zum Ringfinger vier,
zum kleinen Finger fünf.
Hab alle ins Bett zum Schlafen gelegt,
still, dass keines sich mehr regt!

überliefert

*Jeden Finger hoch strecken, dann alle
in die andere Hand „zum Schlafen"
legen.*

Die Lichter gehen alle aus

Die Lichter gehen alle aus.
Dunkel ist das ganze Haus.
Ich sehe Schatten an der Wand.
Dunkel ist das ganze Land.

Meine Eltern sind nicht fern.
Sie sind bei mir, ich hab sie gern.
Ich höre sie vor meiner Tür.
Gott, ich danke dir dafür!

Regine Schindler

Der Tag war schön

Lieber Gott, heute war der Tag so schön,
leider muss ich schlafen gehn.
Lass mich, lieber Vater mein,
morgen wieder fröhlich sein.
Amen.

überliefert

Wenn du tief im Schlafe liegst

1, 2, 3, 4, 5, 6, 7 –
wo ist nur der Tag geblieben?
Ist er durch den Zaun geschlüpft?
Ist er übern Berg gehüpft?

4, 5, 6 und 8 und 10 –
lass den Tag vorübergehn.
Musst um ihn nicht traurig sein,
morgen trifft sein Bruder ein.

2, 3, 4, 5, 6, 7, 8 –
durch die Wiesen schleicht die Nacht.
Und aus dunkler Himmelsferne
leuchten hunderttausend Sterne.

9, 8, 7, 6, 5, 4, 3 –
Wind trägt Blütenduft herbei.
Eine Grille zirpt ganz leise
nach uralter Grillenweise.

5, 6, 7, 8, 9 und 10 –
Spatzen schlafen schon und Krähn.
Nur die Frösche in dem Bach
und das Käuzchen sind noch wach.

8, 7, 6, 5, 4, 3, 2 –
Gottes Engel ist dabei,
wenn du tief im Schlaf schon liegst
und in deinem Traum dich wiegst.

3, 4, 5, 6, 7, 8, 9 –
Gott wird immer bei dir sein.
Er ist da bei Tag und Nacht
und gibt liebend auf dich Acht.

10, 9, 8, 7, 6, 5, 4 –
bald steht der Morgen vor der Tür.
Wenn die Sterne sich verstecken,
wird der neue Tag dich wecken.

Josephine Hirsch

Müde bin ich, geh zur Ruh

Müde bin ich, geh zur Ruh,
schließe beide Äuglein zu.
Vater, lass die Augen dein
über meinem Bette sein.

Hab ich Unrecht heut getan,
sieh es, lieber Gott, nicht an.
Deine Gnad und Jesu Blut
machen allen Schaden gut.

Alle, die mir sind verwandt,
Gott, lass ruhn in deiner Hand.
Alle Menschen, groß und klein,
sollen dir befohlen sein.

Kranken Herzen sende Ruh,
nasse Augen schließe zu,
lass den Mond am Himmel stehn
und die weite Welt besehn.

Luise Hensel

Der Sandmann geht
von Haus zu Haus

Der Sandmann geht von Haus zu Haus
und schaut nach allen, groß und klein.
Wenn er bei allen Kindern war,
schlüpft er ins Wolkenbett hinein.
Er macht die müden Augen zu
und schläft sogleich in guter Ruh,
genau wie du – genau wie du!

Erika Schirmer

Der Sandmann ist da

Der Sand - mann ist da, der Sand - mann ist da, er
hat so schö - nen wei - ßen Sand und ist im gan - zen
Land be - kannt, der Sand - mann ist da!

Text und Melodie: Volkslied

Der Sandmann ist da, der Sandmann ist da,
er hat so schönen weißen Sand
und ist im ganzen Land bekannt,
der Sandmann ist da!

Die Blümelein, sie schlafen

1. Die Blü-me-lein, sie schla-fen schon längst im Mon-den-schein, sie ni-cken mit den Köpf-chen auf ih-ren Stän-ge-lein. Es rüt-telt sich der Blü-ten-baum, er säu-selt wie im Traum: Schla-fe, schla-fe, schlaf du, mein Kin-de-lein!

Text und Melodie: Volkslied

1. Die Blümelein, sie schlafen schon längst im Mondenschein,
   sie nicken mit den Köpfchen auf ihren Stängelein.
   Es rüttelt sich der Blütenbaum, er säuselt wie im Traum:
   Schlafe, schlafe, schlaf du, mein Kindelein!

2. Sandmännchen kommt geschlichen und guckt durchs Fensterlein,
   ob irgend noch ein Liebchen nicht mag zu Bette sein.
   Und wo es noch ein Kindchen fand, streut es ins Aug ihm Sand:
   Schlafe, schlafe, schlaf du, mein Kindelein!

Unser Kind geht jetzt zu Bett

Unser Kind geht jetzt zu Bett
und sagt uns gute Nacht.
Der Teddybär, das Kuscheltier,
sie geben auf dich Acht.
Sie wolln in deinem Bettchen sein,
schlafe jetzt, mein Kind, schlaf ein!

Erika Schirmer

Schweinchen, Schäfchen und Vögelein

Schweinchen, Schäfchen und Vögelein,
alle müssen leise sein.
Schlafen will nun unser Schätzchen,
still ist auch das Miezekätzchen.
Selbst der Sausewind geht heim.
Pst – jetzt schläft mein Kindchen ein.

Erika Schirmer

Ene, mene, meck, wer darf mit ins Bett

Ene, mene, meck, wer darf (mit) ins Bett?
Ene, mene, muh und das bist du!

Das Kind sitzt im Bett und vor ihm liegen die Kuscheltiere.
Mit diesem einfachen Vers wird abgezählt, wer von den
Tieren mit dem Kind ins Bett darf.
Man kann diesen Abzählvers auch anders einsetzen:
Kind und Kuscheltiere sitzen im Kreis am Boden.
Es wird abgezählt, wer in sein Bett geht. Ein Tier nach dem
anderen wird schlafen gelegt und zum Schluss bleibt nur
noch das Kind übrig.
Mit diesem abschließenden Spruch hüpft auch das Kind
schließlich in sein Bett:

Ene, mene, meck, alle sind im Bett!
Ene, mene, muh, ich leg mich auch zur Ruh.

Der Mond ist aufgegangen

Der Mond ist auf - ge - gan - gen, die gold - nen Stern - lein
Der Wald steht schwarz und schwei - get und aus den Wie - sen

pran - gen am Him - mel hell und klar.
stei - get der wei - ße Ne - bel wun - der - bar.

Text: Matthias Claudius
Melodie: Johann A. P. Schulz

1. Der Mond ist aufgegangen,
   die goldnen Sternlein prangen
   am Himmel hell und klar.
   Der Wald steht schwarz und schweiget
   und aus den Wiesen steiget
   der weiße Nebel wunderbar.

2. Wie ist die Welt so stille
   und in der Dämmrung Hülle
   so traulich und so hold
   als eine stille Kammer,
   wo ihr des Tages Jammer
   verschlafen und vergessen sollt.

3. Seht ihr den Mond dort stehen?
   Er ist nur halb zu sehen
   und ist doch rund und schön:
   So sind wohl manche Sachen,
   die wir getrost belachen,
   weil unsre Augen sie nicht sehn.

4. Wir stolzen Menschenkinder
   sind eitel arme Sünder
   und wissen gar nicht viel.
   Wir spinnen Luftgespinste
   und suchen viele Künste
   und kommen weiter von dem Ziel.

5. So legt euch denn, ihr Brüder,
   in Gottes Namen nieder;
   kalt ist der Abendhauch.
   Verschon uns, Gott, mit Strafen
   und lass uns ruhig schlafen
   und unsern kranken Nachbarn auch.

Fingerspiele am Bett

Mit Fingerspielen lässt sich der Tag besonders gut beschließen. Das Kind kommt zur Ruhe und die einfachen Verse verlieren auch nach vielen Wiederholungen nicht ihren Reiz. Dabei kann für das Kind sogar ein ganz eigenes Fingerspiel erfunden werden. Die Finger und Hände machen dann nur noch die passenden Bewegungen dazu.

Zum Beispiel:
Schau mal, wie die Häschen springen ...
Über die Hand des Kindes springen

Schau mal, wie die Schaukeln schwingen ...
Mit dem Finger eine Schaukelbewegung machen

Schau mal, wie die Blumen blühen ...
Hände formen sich zum Blütenkelch

Schau mal, wie die Käfer gehen ...
Über die Hand des Kindes krabbeln

Schau mal, wie der Mond jetzt lacht ...
Mit den Händen einen Kreis formen und hindurchlachen

Und mein (Name des Kindes einsetzen) schläft ein ganz sacht.

Bei der letzten Zeile mit den Händen zart über das Gesicht des Kindes fahren oder einen leichten Nasenstups geben.

Schatten an der Wand

Ein Gutenachtspiel, wenn es draußen früh dunkel wird: Zuerst wird das Licht einer Lampe auf die Wand gerichtet. Alle anderen Lichtquellen werden ausgeschaltet. Zwischen Lampe und Wand kann man nun mit den Händen einen ganzen Zoo in das Zimmer holen. Wer erkennt alle Tiere? Lust auf ein kleines Theaterstück? Eine einfache Geschichte kann man gut mit den Händen darstellen. Wer das Ganze noch ausbauen möchte, bastelt aus Tonpapier einfache Masken dazu. Dafür werden die Köpfe von Tieren oder Menschen im Profil oder von vorne auf das Papier gezeichnet und ausgeschnitten (Löcher für die Augen lassen). Dabei unten einen Querstreifen stehen lassen.Der Querstreifen wird mit einem Klebestreifen als Ring am Finger befestigt. Vorhang auf und los geht's!

Ist der helle Tag vorüber

Ist der helle Tag vorüber,
senkt die dunkle Nacht sich nieder.
An dem Himmel tausend Sterne
funkeln zu uns aus der Ferne;
und der gute, helle Mond,
der am hohen Himmel wohnt,
er schläft nicht, nein, er bleibt wach,
schaut herab auf unser Dach.

Erika Schirmer

Leise, leise, leise

Leise, leise, leise
der Mond geht auf die Reise.
Er zieht am Himmel seine Bahn
und hält an unserem Hause an.
Hier schaut er durch das Fensterlein.
Schlaf, mein liebes Kind, schlaf ein!

Erika Schirmer

Weißt du, wie viel Sternlein stehn

1. Weißt du, wie viel Stern-lein ste - hen an dem blau - en Him-mels -

zelt? Weißt du, wie viel Wol-ken ge - hen weit-hin ü - ber al - le

Welt? Gott der Herr hat sie ge - zäh - let, dass ihm auch nicht ei - nes

feh - let an der gan - zen gro-ßen Zahl, an der gan - zen gro - ßen Zahl.

Text und Melodie: Volkslied

1. Weißt du, wie viel Sternlein stehen
   an dem blauen Himmelszelt?
   Weißt du, wie viel Wolken gehen
   weithin über alle Welt?
   Gott der Herr hat sie gezählet,
   dass ihm auch nicht eines fehlet
   an der ganzen großen Zahl,
   an der ganzen großen Zahl.

2. Weißt du, wie viel Mücklein spielen
   in der heißen Sonnenglut,
   wie viel Fischlein auch sich kühlen
   in der hellen Wasserflut?
   Gott der Herr rief sie mit Namen,
   dass sie all ins Leben kamen,
   dass sie nun so fröhlich sind,
   dass sie nun so fröhlich sind.

3. Weißt du, wie viel Kinder frühe
   stehn aus ihrem Bettlein auf,
   dass sie ohne Sorg und Mühe
   fröhlich sind im Tageslauf?
   Gott im Himmel hat an allen
   seine Lust, sein Wohlgefallen,
   kennt auch dich und hat dich lieb,
   kennt auch dich und hat dich lieb.

Wo schlafen Bärenkinder

1. Wo schla - fen Bä - ren - kin - der? In Höh - len schla - fen
sie, in Höh - len schla - fen sie. Im Dun - keln ge - bor - gen bis
weit in den Mor - gen, so träu - men und schla - fen sie.

Text und Melodie: Hans Baumann

1. Wo schlafen Bärenkinder?
   In Höhlen schlafen sie, in Höhlen schlafen sie.
   Im Dunkeln geborgen bis weit in den Morgen,
   so träumen und schlafen sie.

2. Wo schlafen Entenkinder?
   Im Freien schlafen sie, im Freien schlafen sie.
   In Federn geschmiegt und von Wellen gewiegt,
   so träumen und schlafen sie.

3. Wo schlafen Hasenkinder?
   Im Grase schlafen sie, im Grase schlafen sie.
   In Mulden versteckt, bis der Hunger sie weckt,
   so träumen und schlafen sie.

4. Wo schlafen Vogelkinder?
   In Nestern schlafen sie, in Nestern schlafen sie.
   In Wiesen und Wäldern, in Gärten und Feldern,
   so träumen und schlafen sie.

5. Wo schlafen Menschenkinder?
   Im Bettchen schlafen sie, im Bettchen schlafen sie.
   Schlaf auch du geschwind wie ein Murmeltierkind,
   ja, schlaf gut bis morgen Früh.

112

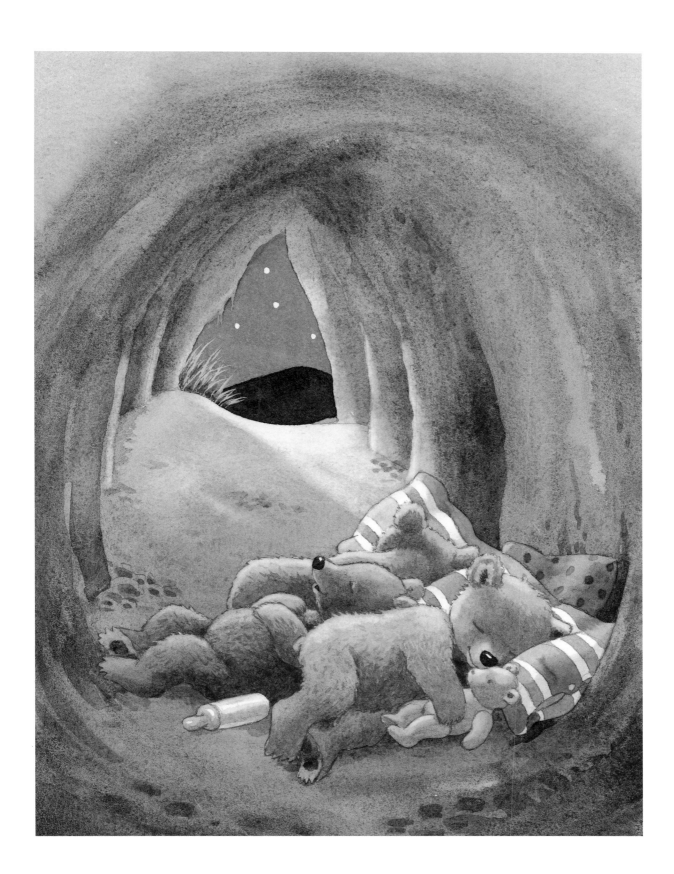

Rutsch ein bisschen

Ich bin das Schaf und mag nicht mehr, denn ich bin
Ich gin - ge gern, so gern ins Bett, wenn ich im

müd und matt und schwer. Rutsch ein biss - chen! Rutsch ein biss - chen!
Bett ein Plätz - chen hätt.

Lass mich rein! Wir ku-scheln uns zu - sam - men und schla - fen ein.

Text und Melodie: Ute und Pauline Andresen

Ich bin das Schaf und mag nicht mehr,
denn ich bin müd und matt und schwer.

Ich ginge gern, so gern ins Bett,
wenn ich im Bett ein Plätzchen hätt.

Rutsch ein bisschen! Rutsch ein bisschen!
Lass mich rein!
Wir kuscheln uns zusammen und schlafen ein.

Weitersingen:
Ich bin der Bär/die Kuh/die Maus/der Hund …

Muh, Kälbchen, muh!

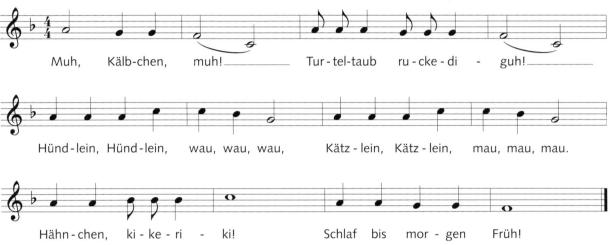

Muh, Kälb-chen, muh! Tur-tel-taub ru-cke-di - guh!

Hünd-lein, Hünd-lein, wau, wau, wau, Kätz-lein, Kätz-lein, mau, mau, mau.

Hähn-chen, ki-ke-ri - ki! Schlaf bis mor-gen Früh!

Text: Des Knaben Wunderhorn
Melodie aus Mecklenburg

1. Muh, Kälbchen, muh! Turteltaub rucke-di-guh!
   Hündlein, Hündlein, wau, wau, wau,
   Kätzlein, Kätzlein, mau, mau, mau.
   Hähnchen, ki-ke-ri-ki! Schlaf bis morgen Früh!

2. Bäh, Lämmlein, bäh! Mecke-zick, mecker-meck-mäh!
   Immlein, Immlein, summ, summ, summ,
   Hummel, Hummel, brumm, brumm, brumm.
   Hähnchen, ki-ke-ri-ki! Schlaf bis morgen Früh!

Guten Abend, gute Nacht

1. Gu-ten A - bend, gut Nacht, mit Ro - sen be - dacht, mit
Näg - lein be - steckt, schlupf un - ter die Deck: Mor-gen
früh, wenn Gott will, wirst du wie - der ge - weckt, mor - gen
früh, wenn Gott will, wirst du wie - der ge - weckt.

Text und Melodie: Volkslied

1. Guten Abend, gut Nacht, mit Rosen bedacht,
   mit Näglein besteckt, schlupf unter die Deck:
   Morgen früh, wenn Gott will, wirst du wieder geweckt,
   morgen früh, wenn Gott will, wirst du wieder geweckt.

2. Guten Abend, gut Nacht, von Englein bewacht,
   die zeigen im Traum dir Christkindleins Baum.
   Schlaf nun selig und süß, schau im Traum 's Paradies,
   schlaf nun selig und süß, schau im Traum 's Paradies.

   „Näglein" ist die altertümliche Form von „Nelken".
   Wer das nicht mag, kann sich ja etwas anderes ausdenken,
   z.B. „mit Küssen bedeckt" ...

Register

Fingerspiele

Quellennachweis

Seite 30: Das Hexenhaus © Bernd Brucker, Fingerspiele. Klassiker und
neue Ideen für Babys und Kleinkinder, erschienen 2004 im Wilhelm
Heyne Verlag, München, einem Unternehmen der Verlagsgruppe
Random House GmbH
Seite 39: Das Krokodil © Ursula Zamanduridis
Seite 39 (Giraffe länglich), 102 (Der Sandmann geht von Haus zu Haus),
104, 110: © Erika Schirmer
Seite 97: Schlafliedchen. Aus: Der Mond liegt auf dem Fensterbrett.
Verlag Georg Bitter
Seite 99: Die Lichter gehen alle aus. Aus: Schindler: Gott, ich kann mit dir
reden © Verlag Ernst Kaufmann, Lahr
Seite 100: © Sr. Josephine Hirsch
Seite 112: Wo schlafen Bärenkinder: Copyright by Möseler Verlag,
Wolfenbüttel
Seite 114: © Ute und Pauline Andresen

Bibliografische Information Der Deutschen Nationalbibliothek:

Die Deutsche Nationalbibliothek verzeichnet diese Publikation
in der Deutschen Nationalbibliografie.
Detaillierte bibliografische Daten sind im Internet
über *http://dnb.d-nb.de* abrufbar.

© 2006 Ravensburger Buchverlag Otto Maier GmbH
Postfach 1860 · 88188 Ravensburg

Umschlagillustration, Layout und Illustrationen: Marlis Scharff-Kniemeyer
Redaktion: Susanne Wahl
Printed in Germany

7 6 5 4   13 12 11 10

ISBN 978-3-473-55616-8
www.ravensburger.de